Classiques Bordas

Les Fourberies de Scapin

MOLIÈRE

Ouvrage publié sous la direction de
BERNARD CHÉDOZEAU

Édition présentée par
FRÉDÉRIC LÉVY
Agrégé de Lettres classiques

UNIVERS des LETTRES BORDAS

www.universdeslettres.com

Voir « LE TEXTE ET SES IMAGES » p. 118
pour l'exploitation de l'iconographie de ce dossier.

1. *Vue de Paris avec le Louvre, prise du pont Henri IV*, détail d'un tableau
d'Hendrick Mommers (vers 1623-1693) (Musée du Louvre, Paris).

THÉÂTRE EN PLEIN AIR, THÉÂTRE EN SALLE

2. *Facétie-Scène de comédie*, 1599, aquarelle anonyme
(Bibliothèque nationale de France, Paris).

3. René Patrignani (MIRABEAU) et Jean-Claude Penchenat
(MARQUIS DE DREUX-BRÉZÉ) dans *1789*, Théâtre du Soleil, 1970.

4. *Un Scapin*, tableau d'Honoré Daumier (1808-1879)
(Musée du Louvre, Paris).

4

5. Alain Pralon (SCAPIN), Richard Berry (OCTAVE) et Jean-Noël Sissia (LÉANDRE) dans la mise en scène de Jacques Échantillon, Comédie-Française, 1973.

6. Daniel Auteuil (SCAPIN), Étienne Le Foulon (LÉANDRE) et Éric Elmosnino (OCTAVE) dans la mise en scène de Jean-Pierre Vincent, festival d'Avignon, 1990.

7ᵉ année – 3ᵉ série   LE NUMÉRO 75 CENTIMES   Nᵒ 62. – 9 mars 1889.

BOUSSOD, VALADON & Cⁱᵉ

Paris illustré

JOURNAL HEBDOMADAIRE

S. LAHURE

LA COMÉDIE-FRANÇAISE. — M. DE FÉRAUDY DANS LE RÔLE DE SCAPIN; par P. TOURNANT.

7. M. de Féraudy, de la Comédie-Française, dans le rôle de Scapin. Couverture du journal « Paris illustré » du 9 mars 1889 (Bibliothèque nationale de France, Paris).

8. Gouache de Fesh et Whirsker représentant Molé, Dauberval et Préville dans les rôles de Léandre, Octave et Scapin (Bibliothèque de la Comédie-Française, Paris).

LÉANDRE   OCTAVE.   SCAPIN.

9. Costume de Robert Hirsch pour le rôle de Scapin dans une mise en scène de Jacques Charon, Comédie-Française, 1956.

10. Carine Montag (ZERBINETTE) et Philippe Gouinguenet (GÉRONTE) dans la mise en scène de Colette Roumanoff, Théâtre Fontaine, 2002.

11. Valérie Roumanoff (Hyacinte) et Carine Montag
(Zerbinette) dans la mise en scène de
Colette Roumanoff, Théâtre Fontaine, 2002.

12. Maquette du décor des *Fourberies de Scapin*, par Robert Hirsch, pour la mise en scène de Jacques Charon, Comédie-Française, 1956 (Bibliothèque-musée de la Comédie-Française, Paris).

LES ROYAUMES DE SCAPIN

13. Daniel Auteuil (Scapin), Éric Elmosnino (Octave) et Étienne Le Foulon
(Léandre) dans la mise en scène de Jean-Pierre Vincent,
festival d'Avignon, 1990.

14. Daniel Berlioux (Léandre), Marcel Maréchal (Scapin) et Thierry Digonnet
(Octave) dans la mise en scène de Marcel Maréchal, Théâtre national
de Marseille, La Criée, 1981.

15. **16.**

Jean-Louis Barrault (SCAPIN) et Pierre Bertin (GÉRONTE) dans la mise en
scène de Louis Jouvet, Théâtre Marigny, 1949.

17.

18. Grégory Gerreboo (SCAPIN) et Philippe Gouinguenet (GÉRONTE) dans la mise en scène de Colette Roumanoff, Théâtre Fontaine, 2002.

UNE FARCE ?

19. Mise en scène de Jean-Pierre Vincent, festival d'Avignon, 1990.

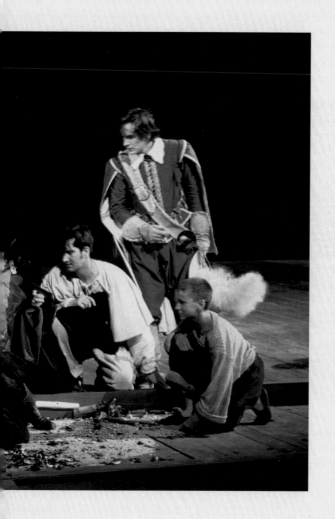

20. Daniel Auteuil (SCAPIN) dans la mise en scène de Jean-Pierre Vincent, festival d'Avignon, 1990.

REGARDS
SUR L'ŒUVRE

1610		1643		1661		1715
HENRI IV	LOUIS XIII	MAZARIN		LOUIS XIV		

1606	CORNEILLE	1684
1621	LA FONTAINE	1695
1622	**MOLIÈRE**	**1673**
1639	RACINE	1699
1645	LA BRUYÈRE	1696

ŒUVRES DE MOLIÈRE

1646	*La Jalousie du Barbouillé*
1655	*L'Étourdi*
1656	*Le Dépit amoureux*
1659	*Les Précieuses ridicules*
	Le Médecin volant
1660	*Sganarelle ou le Cocu imaginaire*
1661	*Les Fâcheux*
1662	*L'École des femmes*
1664	*Le Mariage forcé*
	La Princesse d'Élide
	Le Tartuffe
1665	*Dom Juan*
	L'Amour médecin
1666	*Le Misanthrope*
	Le Médecin malgré lui
1667	*Le Sicilien ou l'Amour peintre*
1668	*Amphitryon*
	George Dandin
	L'Avare
1669	*Monsieur de Pourceaugnac*
1670	*Les Amants magnifiques*
	Le Bourgeois gentilhomme
1671	***Les Fourberies de Scapin***
	La Comtesse d'Escarbagnas
1672	*Les Femmes savantes*
1673	*Le Malade imaginaire*

LIRE AUJOURD'HUI
LES FOURBERIES DE SCAPIN

Un valet qui enferme un vieil avare dans un sac pour le rouer de coups de bâton… Un autre valet qui se déguise en spadassin pour intimider son maître… Deux fils qui s'opposent à leurs pères pour faire triompher leur amour… Trois siècles après leur création, *Les Fourberies de Scapin* continuent d'enchanter le grand public : la revanche des faibles sur les forts est un thème éternel.

Les effets, il est vrai, sont parfois un peu gros. Ce sont ceux d'un théâtre « populaire ». Mais ce serait une erreur de ne voir dans cette pièce qu'un pur divertissement. Molière l'a écrite après ses trois plus grandes œuvres, *Dom Juan*, *Tartuffe* et *Le Misanthrope*. Comment cette farce pourrait-elle donc n'être qu'une farce ?

Le comique* des *Fourberies* est dans les gestes, mais il est aussi dans les dialogues. Scapin, pour être le fourbe qu'annonce le titre, joue d'abord avec les mots et, pour manipuler ses adversaires, fait l'effort d'adopter leur point de vue. Les personnages ne sauraient donc être de simples marionnettes. Il arrive même aux jeunes premières un peu fades de faire sur la condition des femmes des déclarations qui aujourd'hui encore ne manquent pas d'intérêt.

Ajoutons enfin que ces figures sont d'autant plus vivantes que l'on sent se profiler discrètement à travers la pièce la question du temps qui passe : Scapin est sans doute moins vieux que les pères, mais moins jeune aussi que les fils qu'il défend… Ses fourberies ont donc pour lui comme une valeur magique : il se prouve à lui-même qu'il peut encore une fois faire ce qu'il faisait jadis ; il s'offre même le plaisir, dans la dernière scène, d'éclater de rire en prononçant le verbe « mourir ».

---

* Les définitions des mots suivis d'un astérisque figurent p. 186-188.

REPÈRES

L'AUTEUR : Molière.

PREMIÈRE REPRÉSENTATION : 1671.

LE GENRE : une farce héritière de la *commedia dell'arte**, avec tous les effets visuels et gestuels propres à la farce*. Mais une farce revue et corrigée par le génie de Molière, ce qui conduit certains critiques à déceler là un nouveau genre, celui de la « comédie d'intrigue ».

LE CONTEXTE : la troupe de Molière est devenue troupe du roi en 1665. La Cour est encore à Paris ; elle ne s'installe à Versailles qu'en 1672. Molière est malade (de la tuberculose) depuis 1667.

LA PIÈCE :

• **Forme et structure** : trois actes en prose, vingt-six scènes, une dizaine de personnages, allant presque tous « par paires » (paire de valets, paire de fils, paire de vieillards…).

• **Lieu et temps** : la scène est à Naples ; le temps n'est pas vraiment précisé.

• **Personnages** : Scapin, valet, fourbe, meneur de jeu (enfin, croit-il…) ; Sylvestre, valet plus sage, mais impliqué dans certaines fourberies ; Octave et Léandre, jeunes maîtres de ces deux valets, mais dépendant totalement d'eux dans la lutte qui les oppose à leurs pères ; Hyacinte et Zerbinette, jeunes filles dont Octave et Léandre sont tombés respectivement amoureux ; Argante et Géronte, pères respectifs d'Octave et de Léandre et – mais nous ne le saurons qu'à la fin ! – de Zerbinette et de Hyacinte.

• **Intrigue(s)** : Scapin arrivera-t-il à soutirer aux deux pères l'argent dont leurs fils ont besoin pour s'acquitter de leurs devoirs vis-à-vis des jeunes femmes dont ils sont tombés amoureux ? Mais, s'il arrive à le faire, ne contribuera-t-il pas à aviver l'opposition entre les pères et les fils ? Ne profite-t-il donc pas de la situation des fils pour régler certains comptes personnels ?

• **Les enjeux** : une pièce populaire qui obéit à des codes tout en se jouant d'eux. Une farce qui lorgne parfois franchement du côté de la mort. Avant *Le Malade imaginaire*, qui sera son testament, *Les Fourberies* sont comme une dernière pirouette que fait Molière pour rendre hommage à sa propre jeunesse.

Farceurs français à l'Hôtel de Bourgogne.
Détail d'une gravure d'Abraham Bosse (1602-1676).

MOLIÈRE
ET *LES FOURBERIES DE SCAPIN*

Il est vain et dangereux de vouloir expliquer une œuvre littéraire en ramenant tout à la biographie de son auteur, mais dans le cas de Molière cette question se présente un peu différemment. En effet, comme a pu l'écrire l'historien de la littérature française Gustave Lanson, « la vie de Molière ne consiste guère que dans l'histoire de ses œuvres ; hors de là, on ne possède sur l'homme que peu de renseignements » ; inversement, ces œuvres elles-mêmes donnent un certain nombre d'informations sur la vie de Molière, puisqu'il s'est souvent amusé à adresser par l'intermédiaire de ses personnages des clins d'œil à ses spectateurs. Dans *Le Bourgeois gentilhomme*, un portrait du père de M. Jourdain évoque irrésistiblement le propre père de Molière ; ou l'on se rappelle les violentes critiques adressées, dans *Le Malade imaginaire*, à un dramaturge nommé… Molière. Quand Scapin débite ses longues tirades contre la justice, c'est en grande partie Molière qui se venge des formes de censure auxquelles se sont heurtées ses grandes pièces. L'absence totale de mères dans *Les Fourberies* n'est pas sans rapport avec le fait qu'il ait perdu la sienne alors qu'il n'avait que dix ans. Et quand bien même cette pièce ne renverrait pas, par son sujet, à l'enfance du dramaturge, elle nous renvoie, par son style et par son genre, à ses débuts au théâtre.

UNE VOCATION THÉÂTRALE

Jean Poquelin, tapissier, avait racheté en 1631 à son frère l'office de tapissier du roi avec l'idée de le transmettre à son fils Jean-Baptiste, né en **1622**. Mais, en 1643, **Jean-Baptiste Poquelin** renonce à cet office pour se lancer dans l'aventure du théâtre. Cette vocation a pu apparaître très tôt, son grand-père paternel – tapissier comme son fils – possédant deux boutiques dans l'enclos de la foire Saint-Germain, où divers « farceurs » présentaient leurs spectacles. Devant la place Dauphine régnait Tabarin, dont l'emploi était celui d'un vieillard que la peur conduisait souvent à se réfugier dans un sac. Le troisième acte des *Fourberies* est sans doute un souvenir direct de ces images d'enfance.

Mais l'amour n'est pas étranger non plus à la désobéissance du fils Poquelin : c'est avec une femme, Madeleine Béjart, que Jean-Baptiste fonde **l'Illustre-Théâtre**. Les recettes sont si maigres que le jeune homme se retrouve pendant quelques jours en prison pour dettes. Le succès ne venant pas à Paris, il décide d'aller tenter sa chance avec ses camarades à travers la France.

C'est là que se situent les **années d'apprentissage** de celui qui, en 1645, pour des raisons obscures, prend le pseudonyme de Molière ; d'apprentissage du métier de comédien, s'entend. Car le jeune homme insoumis est cultivé. Convaincu en effet que son fils lui succéderait au poste de tapissier du roi, Jean Poquelin lui avait fait faire ce que nous appellerions aujourd'hui des « études secondaires » au collège de Clermont (devenu depuis le lycée Louis-le-Grand). Une tradition – invérifiable, mais vraisemblable – veut qu'il ait suivi les leçons du philosophe épicurien Gassendi et qu'il ait entamé une traduction du *De natura rerum* de Lucrèce. En tout état de cause, il ne faut pas oublier que, même dans ses scènes comiques les moins subtiles, même dans ses couplets composés en latin de cuisine, Molière introduit toujours quelque formule qui révèle une profonde connaissance des penseurs de l'Antiquité.

L'Illustre-Théâtre revient à Paris en 1658, avec un solide atout en la personne de son protecteur, Monsieur, frère du roi. Parallèlement aux pièces de Corneille, la troupe inscrit à son programme deux comédies de Molière lui-même, *L'Étourdi* et *Le Dépit amoureux*. **Le succès vient** et se confirme un an plus tard avec *Les Précieuses ridicules* et, en 1660, avec *Sganarelle ou le Cocu imaginaire*. Déjà les jalousies s'affichent, et certains s'appliquent à dénoncer ces pièces sur la base de leur succès même. Succès de simple farceur ! Blessé, Molière écrit alors *Dom Garcie de Navarre*, pièce tragi-comique. C'est un échec. Mais il y a dans cette œuvre des morceaux entiers qui seront repris dans *Le Misanthrope*. Et, dans l'immédiat, Molière retrouve le chemin de la comédie et de la faveur populaire avec *L'École des maris*.

LE SUCCÈS ET LES LUTTES

En 1662, il épouse Armande Béjart, sœur ou fille de Madeleine, de vingt ans plus jeune que lui. Cette différence d'âge est au cœur de sa comédie *L'École des femmes*. Suit en 1663, pour répondre aux jalousies suscitées par le triomphe de cette pièce, *La Critique de l'École des femmes*. À leur tour, les ennemis de Molière répondent en publiant divers textes ou pièces parodiques. Molière contre-attaque avec *L'Impromptu de Versailles*, une pièce en un acte où il défend le principe d'un jeu naturel du comédien. Au-delà des rivalités et des mesquineries individuelles, se pose à travers cette querelle la question de **la respectabilité du genre comique**. Molière explique qu'il est plus facile de faire pleurer que de faire rire et proclame la grandeur du théâtre qu'il représente. Et il la prouve en composant dans les cinq ans qui suivent, au milieu d'œuvres plus légères, ses trois plus grandes pièces : *Dom Juan*, *Le Misanthrope* et *Tartuffe*.

Tartuffe est une longue histoire. Malgré le soutien de Louis XIV, la pièce, qui peut être interprétée comme une attaque contre la religion, est plusieurs fois interdite et remaniée par Molière. Elle ne connaît sa forme définitive qu'en 1669. Entre-temps, l'auteur a aggravé son cas en abordant dans *Dom Juan* (1665) la question de **l'hypocrisie des faux dévots**. Il a aussi découvert que la maladie qui le faisait souffrir depuis quelque temps ne serait pas simplement passagère – on pense aujourd'hui qu'il était tuberculeux –, et c'est peut-être pour cela qu'il imagine alors, pour *Le Misanthrope* (1666), le personnage le plus désespéré de tout son théâtre.

JUSQU'AU BOUT DU RIRE

À partir de 1668, date à laquelle est écrit *L'Avare*, les pièces de Molière se font moins souvent l'écho des conflits sociaux et religieux. Certains critiques ont pu ne voir dans *Le Bourgeois gentilhomme* et *Les Femmes savantes* que la défense du bon sens et du juste milieu. D'autres, tout en saluant le brio des *Fourberies de Scapin* (1671), n'y trouvent qu'un pur jeu de théâtre. Il y aurait évidemment beaucoup de nuances à apporter… Lorsque Molière écrit en 1673 *Le Malade imaginaire*, qui sera sa dernière pièce, sa propre maladie est loin d'être imaginaire et il ne se fait guère d'illusions sur son état de santé. Il aurait déclaré vers cette période : « Tant que ma vie a été mêlée également de douleur et de plaisir, je me suis cru heureux ; mais aujourd'hui que je suis accablé de peines sans pouvoir compter sur aucun moment de satisfaction et de douceur, je vois bien qu'il faut quitter la partie. »

Contrairement à ce que l'on dit souvent, Molière n'est pas mort sur scène, mais quelques heures après avoir été pris d'un malaise (dont il avait aussitôt tiré un effet comique pendant la représentation). L'amitié que lui témoignait Louis XIV s'était refroidie depuis quelque temps au profit de son ancien collaborateur, le musicien Lulli. C'est cependant grâce à l'intervention du roi auprès de l'archevêque que Molière put être enterré religieusement, même s'il le fut « hors des heures de jour et sans service solennel ». Les comédiens, traditionnellement, ne pouvaient pas prétendre à une sépulture en terre chrétienne.

LES SOURCES DES *FOURBERIES DE SCAPIN*

Bien des aspects des *Fourberies* sont **inspirés de nombreuses pièces antérieures**. La plus connue est *Phormion* de Térence, qui raconte une histoire très proche ; on connaît aussi des sources françaises (la première scène reprend l'ouverture de *La Sœur* de Rotrou ; la scène de la galère reprend une scène du *Pédant joué* de Cyrano de Bergerac, voir p. 161). Mais à la fois pour les personnages, leur esprit, leur ton, la liberté et l'aisance de leur allure, pour le rythme qui emporte la pièce, il faut évoquer les pièces de la *commedia dell'arte*. C'est à l'acteur et au mime Scaramouche, qu'il admirait, que Molière doit beaucoup pour tout ce qui concerne les effets de comique de gestes. Mais la variété même de ces emprunts ne fait que souligner l'originalité de celui qui a si bien su les fondre en une comédie irrésistible. Il existe une pièce très proche des *Fourberies, Joguenet ou les Vieillards dupés*, retrouvée au XIXe siècle et dans laquelle on a cru voir l'original de la comédie. Est-elle de Molière jeune ? Est-ce un plagiat des *Fourberies* ? Sa datation précise étant impossible, la question reste posée.

Portrait de Molière, attribué à Sébastien Bourdon (1616-1671)
(Musée Cantini, Marseille).

Les Fourberies de Scapin

MOLIÈRE

comédie

représentée pour la première fois
sur le théâtre du Palais-Royal
le 24 mai 1671
par la Troupe du roi.

LES PERSONNAGES

ARGANTE	*père d'Octave et de Zerbinette.*
GÉRONTE	*père de Léandre et de Hyacinte.*
OCTAVE	*fils d'Argante et amant de Hyacinte.*
LÉANDRE	*fils de Géronte et amant de Zerbinette.*
ZERBINETTE	*crue Égyptienne et reconnue fille d'Argante et amante de Léandre.*
HYACINTE	*fille de Géronte et amante d'Octave.*
SCAPIN	*valet de Léandre et fourbe.*
SYLVESTRE	*valet d'Octave.*
NÉRINE	*nourrice de Hyacinte.*
CARLE	*fourbe.*

La scène est à Naples.

ACTE PREMIER

SCÈNE PREMIÈRE. OCTAVE, SYLVESTRE.

OCTAVE. Ah ! fâcheuses nouvelles pour un cœur amoureux ! Dures extrémités où je me vois réduit ! Tu viens, Sylvestre, d'apprendre au port que mon père revient ?

SYLVESTRE. Oui.

5 **OCTAVE.** Qu'il arrive ce matin même ?

SYLVESTRE. Ce matin même.

OCTAVE. Et qu'il revient dans la résolution de me marier ?

SYLVESTRE. Oui.

OCTAVE. Avec une fille du seigneur[1] Géronte ?

10 **SYLVESTRE.** Du seigneur Géronte.

OCTAVE. Et que cette fille est mandée[2] de Tarente ici pour cela ?

SYLVESTRE. Oui.

OCTAVE. Et tu tiens ces nouvelles de mon oncle ?

SYLVESTRE. De votre oncle.

15 **OCTAVE.** À qui mon père les a mandées par une lettre ?

SYLVESTRE. Par une lettre.

OCTAVE. Et cet oncle, dis-tu, sait toutes nos affaires ?

SYLVESTRE. Toutes nos affaires.

OCTAVE. Ah ! parle, si tu veux, et ne te fais point de la
20 sorte arracher les mots de la bouche.

SYLVESTRE. Qu'ai-je à parler davantage ? Vous n'oubliez aucune circonstance, et vous dites les choses tout justement comme elles sont.

---

1. **Seigneur :** monsieur.
2. **Mandée :** mander a ici le sens de faire venir ; quelques lignes plus loin, il signifie « communiquer ».

OCTAVE. Conseille-moi, du moins, et me dis[1] ce que je
25 dois faire dans ces cruelles conjonctures[2].

SYLVESTRE. Ma foi, je m'y trouve autant embarrassé que
vous, et j'aurais bon besoin que l'on me conseillât moi-
même.

OCTAVE. Je suis assassiné par ce maudit retour.

30 **SYLVESTRE.** Je ne le suis pas moins.

OCTAVE. Lorsque mon père apprendra les choses, je vais
voir fondre sur moi un orage soudain d'impétueuses réprimandes.

SYLVESTRE. Les réprimandes ne sont rien, et plût au Ciel
35 que j'en fusse quitte à ce prix ! Mais, j'ai bien la mine[3], pour
moi, de payer plus cher vos folies, et je vois se former de loin
un nuage de coups de bâton qui crèvera sur mes épaules.

OCTAVE. Ô Ciel ! par où sortir de l'embarras où je me
trouve ?

40 **SYLVESTRE.** C'est à quoi vous deviez[4] songer avant que de
vous y jeter.

OCTAVE. Ah ! tu me fais mourir par tes leçons hors de
saison.

SYLVESTRE. Vous me faites bien plus mourir par vos
45 actions étourdies.

OCTAVE. Que dois-je faire ? Quelle résolution prendre ? À
quel remède recourir ?

---

1. **Me dis** : dis-moi.
2. **Conjonctures** : circonstances.
3. **J'ai bien la mine de payer** : j'ai l'air de quelqu'un qui devra payer.
4. **Vous deviez** : vous auriez dû (latinisme).

▰ SITUER

Cette scène donne au spectateur l'information nécessaire au début de la pièce : c'est une scène d'exposition*. Un jeune maître se plaint à son valet de l'« embarras » où il se trouve : mais quel est cet embarras ?

▰ RÉFLÉCHIR

SOCIÉTÉ : à chacun son « embarras »

1. Un personnage tutoie l'autre ; l'autre le vouvoie. Qu'en déduire sur le lien qui les unit ?

2. Que signifie ici le terme « embarras » ? Le spectateur apprend-il les raisons précises de cet « embarras » d'Octave ? Mais comment se manifeste-t-il ? Étudiez la construction des phrases et, en particulier, l'emploi de l'impératif.

3. « Toutes nos affaires » : pourquoi l'apparition du possessif « nos » marque-t-elle un tournant dans le dialogue* ?

PERSONNAGES : l'ombre du père et l'ombre du maître

4. Sylvestre, « embarrassé » lui aussi, voit « se former de loin un nuage de coups de bâton » : cette phrase est-elle une simple reprise de la métaphore* employée par Octave ? En quoi la modification qu'il introduit reflète-t-elle une différence de condition sociale ?

5. Relevez le champ lexical* de l'*orage*. Quel est le dieu de l'Antiquité qui manie la foudre et le tonnerre ? À qui le père d'Octave est-il ainsi associé par son fils et par son valet ?

6. Quels sont les sentiments d'Octave à l'égard de son père ?

REGISTRES ET TONALITÉS : faut-il pleurer ? faut-il en rire ?

7. Les deux premières phrases, par leur rythme, ressemblent à des alexandrins (vers de douze syllabes) : quel effet produisent-elles ? Trouvez vers le milieu de la scène un autre alexandrin jouant sur le même registre.

8. Dans les propos d'Octave et dans ceux de Sylvestre, qu'est-ce qui interdit de prendre cette situation trop au sérieux et indique qu'on est dans une comédie* ? Qu'est-ce qui nous fait rire ?

MISE EN SCÈNE : *allegro vivace*

9. Relevez les procédés de style, les stichomythies* qui supposent, chez les acteurs, un rythme très rapide dans la diction et les gestes, les attitudes.

10. Le calme apparent de Sylvestre ; l'inquiétude d'Octave : comment imaginez-vous les mouvements, les actions, les gestes de ces deux personnages ?

SCÈNE 2. SCAPIN, OCTAVE, SYLVESTRE.

SCAPIN. Qu'est-ce, seigneur Octave ? qu'avez-vous ? qu'y a-t-il ? quel désordre est-ce là ? Je vous vois tout troublé.

OCTAVE. Ah ! mon pauvre Scapin, je suis perdu, je suis désespéré, je suis le plus infortuné de tous les hommes !

5 **SCAPIN.** Comment ?

OCTAVE. N'as-tu rien appris de ce qui me regarde ?

SCAPIN. Non.

OCTAVE. Mon père arrive avec le seigneur Géronte, et ils me veulent marier[1].

10 **SCAPIN.** Eh bien ! qu'y a-t-il là de si funeste ?

OCTAVE. Hélas ! tu ne sais pas la cause de mon inquiétude.

SCAPIN. Non ; mais il ne tiendra qu'à vous que je la sache bientôt ; et je suis homme consolatif[2], homme à m'intéresser aux affaires des jeunes gens.

15 **OCTAVE.** Ah ! Scapin, si tu pouvais trouver quelque invention, forger quelque machine[3], pour me tirer de la peine où je suis, je croirais t'être redevable de plus que de la vie.

SCAPIN. À vous dire la vérité, il y a peu de choses qui me soient impossibles, quand je m'en veux mêler. J'ai sans doute[4] 20 reçu du Ciel un génie[5] assez beau pour toutes les fabriques[6] de ces gentillesses d'esprit, de ces galanteries ingénieuses[7], à qui le vulgaire[8] ignorant donne le nom de fourberies, et je puis dire sans vanité qu'on n'a guère vu d'homme qui fût plus habile ouvrier de ressorts[9] et d'intrigues, qui ait acquis plus de

---

1. **Me veulent marier** : veulent me marier.
2. **Consolatif** : capable de consoler.
3. **Machine** : machination, ruse.
4. **Sans doute** : sans aucun doute.
5. **Génie** : qualités naturelles.
6. **Fabriques** : fabrications.
7. **Galanteries ingénieuses** : inventions élégantes.
8. **Le vulgaire** (nom) : le peuple.
9. **Ressorts** : moyens d'action dissimulés.

25 gloire que moi dans ce noble métier. Mais, ma foi, le mérite est trop maltraité aujourd'hui, et j'ai renoncé à toutes choses depuis certain chagrin[1] d'une affaire qui m'arriva.

OCTAVE. Comment ? Quelle affaire, Scapin ?

SCAPIN. Une aventure où je me brouillai avec la justice.

30 OCTAVE. La justice !

SCAPIN. Oui, nous eûmes un petit démêlé ensemble.

SYLVESTRE. Toi et la justice ?

SCAPIN. Oui. Elle en usa fort mal avec moi, et je me dépitai[2] de telle sorte contre l'ingratitude du siècle, que je
35 résolus de ne plus rien faire. Baste ![3] Ne laissez pas de[4] me conter votre aventure.

OCTAVE. Tu sais, Scapin, qu'il y a deux mois que le seigneur Géronte et mon père s'embarquèrent ensemble pour un voyage qui regarde certain commerce où leurs inté-
40 rêts sont mêlés.

SCAPIN. Je sais cela.

OCTAVE. Et que Léandre et moi nous fûmes laissés par nos pères, moi sous la conduite de Sylvestre, et Léandre sous ta direction.

45 SCAPIN. Oui. Je me suis fort bien acquitté de ma charge.

OCTAVE. Quelque temps après, Léandre fit rencontre d'une jeune Égyptienne[5] dont il devint amoureux.

SCAPIN. Je sais cela encore.

OCTAVE. Comme nous sommes grands amis, il me fit aussi-
50 tôt confidence de son amour et me mena voir cette fille, que je trouvai belle à la vérité, mais non pas tant qu'il voulait que je la trouvasse. Il ne m'entretenait que d'elle chaque jour, m'exagé-

---

1. **Chagrin :** très gros ennui.
2. **Je me dépitai :** je fus en colère.
3. **Baste ! :** suffit ! (de l'italien *basta !*).
4. **Ne laissez pas de :** ne manquez pas de.
5. **Égyptienne :** bohémienne, gitane (voir l'anglais *gypsy*).

rait à tous moments sa beauté et sa grâce, me louait son esprit
et me parlait avec transport des charmes de son entretien, dont
55 il me rapportait jusqu'aux moindres paroles, qu'il s'efforçait
toujours de me faire trouver les plus spirituelles du monde. Il
me querellait quelquefois de n'être pas assez sensible aux
choses qu'il me venait de dire, et me blâmait sans cesse de
l'indifférence où j'étais pour les feux de l'amour.

60 SCAPIN. Je ne vois pas encore où ceci veut aller.

OCTAVE. Un jour que je l'accompagnais pour aller chez des
gens qui gardent l'objet de ses vœux[1], nous entendîmes dans
une petite maison d'une rue écartée quelques plaintes mêlées
de beaucoup de sanglots. Nous demandons ce que c'est. Une
65 femme nous dit en soupirant que nous pouvions voir là quelque chose de pitoyable en des personnes étrangères, et qu'à
moins d'être insensibles, nous en serions touchés.

SCAPIN. Où est-ce que cela nous mène ?

OCTAVE. La curiosité me fit presser Léandre de voir ce que
70 c'était. Nous entrons dans une salle, où nous voyons une
vieille femme mourante, assistée d'une servante qui faisait
des regrets[2], et d'une jeune fille toute fondante en larmes, la
plus belle et la plus touchante qu'on puisse jamais voir.

SCAPIN. Ah ! ah !

75 OCTAVE. Une autre aurait paru effroyable en l'état où elle
était, car elle n'avait pour habillement qu'une méchante
petite jupe, avec des brassières[3] de nuit qui étaient de simple
futaine[4], et sa coiffure était une cornette[5] jaune, retroussée
au haut de sa tête, qui laissait tomber en désordre ses
80 cheveux sur ses épaules ; et cependant, faite comme cela[6],
elle brillait de mille attraits, et ce n'était qu'agréments et que
charmes que toute sa personne.

---

1. **L'objet de ses vœux :** la femme qu'il aime.
2. **Qui faisait des regrets :** qui montrait sa douleur, sa compassion.
3. **Brassières :** chemisette.
4. **Futaine :** tissu de lin et de coton.
5. **Cornette :** espèce de bonnet de nuit féminin.
6. **Faite comme cela :** vêtue comme cela.

SCAPIN. Je sens venir les choses.

OCTAVE. Si tu l'avais vue, Scapin, en l'état que je dis, tu
85 l'aurais trouvée admirable.

SCAPIN. Oh ! je n'en doute point ; et, sans l'avoir vue, je
vois bien qu'elle était tout à fait charmante.

OCTAVE. Ses larmes n'étaient point de ces larmes désagréa-
bles qui défigurent un visage : elle avait à pleurer[1] une grâce
90 touchante, et sa douleur était la plus belle du monde.

SCAPIN. Je vois tout cela.

OCTAVE. Elle faisait fondre chacun en larmes en se jetant
amoureusement sur le corps de cette mourante, qu'elle
appelait sa chère mère, et il n'y avait personne qui n'eût
95 l'âme percée de voir un si bon naturel.

SCAPIN. En effet, cela est touchant, et je vois bien que ce
bon naturel-là vous la fit aimer.

OCTAVE. Ah ! Scapin, un barbare l'aurait aimée.

SCAPIN. Assurément. Le moyen de s'en empêcher !

100 **OCTAVE.** Après quelques paroles dont je tâchai d'adoucir la
douleur de cette charmante affligée, nous sortîmes de là et,
demandant à Léandre ce qui lui semblait de cette personne, il
me répondit froidement qu'il la trouvait assez jolie. Je fus piqué
de la froideur avec laquelle il m'en parlait, et je ne voulus point
105 lui découvrir l'effet que ses beautés avaient fait sur mon âme.

SYLVESTRE, *à Octave.* Si vous n'abrégez ce récit, nous en
voilà pour jusqu'à demain. Laissez-le-moi finir en deux
mots. *(À Scapin.)* Son cœur prend feu dès ce moment. Il ne
saurait plus vivre qu'il n'aille[2] consoler son aimable affligée.
110 Ses fréquentes visites sont rejetées de la servante, devenue la
gouvernante par le trépas de la mère : voilà mon homme au
désespoir. Il presse, supplie, conjure : point d'affaire[3]. On lui
dit que la fille, quoique sans bien et sans appui, est de famille

---

1. **À pleurer :** en pleurant.
2. **Qu'il n'aille :** s'il ne va.
3. **Point d'affaire :** peine perdue.

honnête et qu'à moins que de l'épouser, on ne peut souffrir
115 ses poursuites ; voilà son amour augmenté par les difficultés.
Il consulte[1] dans sa tête, agite, raisonne, balance[2], prend sa
résolution : le voilà marié avec elle depuis trois jours.

SCAPIN. J'entends.

SYLVESTRE. Maintenant, mets avec cela le retour imprévu
120 du père, qu'on n'attendait que dans deux mois ; la
découverte que l'oncle a faite du secret de notre mariage, et
l'autre mariage qu'on veut faire de lui[3] avec la fille que le
seigneur Géronte a eue d'une seconde femme qu'on dit qu'il
a épousée à Tarente.

125 **OCTAVE.** Et par-dessus tout cela, mets encore l'indigence
où se trouve cette aimable personne et l'impuissance où je
me vois d'avoir de quoi la secourir.

SCAPIN. Est-ce là tout ? Vous voilà bien embarrassés tous
deux pour une bagatelle ! C'est bien là de quoi se tant alar-
130 mer ! N'as-tu point de honte, toi, de demeurer court à[4] si
peu de chose ? Que diable ! te voilà grand et gros comme
père et mère, et tu ne saurais trouver dans ta tête, forger
dans ton esprit, quelque ruse galante[5], quelque honnête
petit stratagème, pour ajuster vos affaires ? Fi ![6] Peste soit du
135 butor ![7] Je voudrais bien que l'on m'eût donné autrefois nos
vieillards à duper : je les aurais joués tous deux par-dessous la
jambe, et je n'étais pas plus grand que cela que je me signa-
lais déjà par cent tours d'adresse jolis.

SYLVESTRE. J'avoue que le Ciel ne m'a pas donné tes
140 talents, et que je n'ai pas l'esprit, comme toi, de me brouiller
avec la justice.

OCTAVE. Voici mon aimable Hyacinte.

---

1. **Consulte :** délibère.
2. **Balance :** pèse les difficultés.
3. **Lui :** Octave.
4. **Demeurer court à :** rester désemparé devant.
5. **Galante :** élégante (ironique).
6. **Fi ! :** interjection exprimant le mépris.
7. **Butor :** sot.

ACTE I SCÈNE 2

▀▄ SITUER

Octave est presque désespéré. Il reste à connaître les raisons de son désespoir et, si possible, à découvrir un remède… à moins que ne survienne un personnage providentiel !

▀▄ RÉFLÉCHIR

STRUCTURE : narration ou dialogue ?

1. Par qui le long récit* est-il fait ? Quels épisodes sont particulièrement développés ? Pourquoi ?

2. Que faut-il penser des réactions de Scapin lorsqu'il entend ce récit ? Étudiez l'évolution de ses remarques lorsqu'il est mis au courant de la situation. En quoi ses tirades* au début et à la fin de la scène se font-elles écho ?

REGISTRES ET TONALITÉS : des mélodrames… comiques

3. Trouvez-vous l'histoire d'Octave bien vraisemblable ? Retrouvez et précisez les éléments qui permettent de la qualifier de *romanesque.**

4. Les critiques qu'Octave émet à l'égard de Léandre sont-elles convaincantes ? Pourquoi celui-ci lui répond-il « froidement » (l. 103).*

PERSONNAGES : Scapin chef d'orchestre, et ses musiciens

5. Qu'est-ce qui fait d'Octave un personnage à la fois ridicule et sympathique ?

6. Le portrait que Scapin fait de lui-même et l'épisode de sa vie qu'il évoque brièvement ne sont-ils pas contradictoires ? Pourquoi cette contradiction contribue-t-elle à donner une réelle existence au personnage ?

7. Faut-il donner le même âge à Scapin, Octave et Sylvestre ? Quelles conséquences en tirer ?

QUI PARLE ? QUI VOIT ? Une voix peut en cacher une autre…

8. « Une aventure où je me brouillai avec la justice » (l. 29) : Molière ne s'est-il pas, comme Scapin, un peu « brouillé » avec la justice (voir p. 22) ? Qu'est-ce qui peut l'amener à se cacher derrière son personnage ? N'y a-t-il pas là un exemple de « double énonciation » ? En quoi ? Et est-elle seulement double ?

9. « Habile ouvrier de ressorts et d'intrigues » (l. 24) : cette définition de Scapin ne peut-elle pas s'appliquer aussi à Molière ? Pourquoi ?

▀▄ ÉCRIRE

10. Écrivez en une vingtaine de lignes les réflexions intérieures que fait Scapin en entendant le récit d'Octave.

Scène 3. Hyacinte, Octave, Scapin, Sylvestre.

HYACINTE. Ah ! Octave, est-il vrai[1] ce que Sylvestre vient de dire à Nérine, que votre père est de retour et qu'il veut vous marier ?

OCTAVE. Oui, belle Hyacinte, et ces nouvelles m'ont
5 donné une atteinte cruelle[2]. Mais que vois-je ? vous pleurez ? Pourquoi ces larmes ? Me soupçonnez-vous, dites-moi, de quelque infidélité, et n'êtes-vous pas assurée de l'amour que j'ai pour vous ?

HYACINTE. Oui, Octave, je suis sûre que vous m'aimez,
10 mais je ne le suis pas que vous m'aimiez toujours.

OCTAVE. Eh ! peut-on vous aimer qu'on ne vous aime[3] toute sa vie ?

HYACINTE. J'ai ouï dire[4], Octave, que votre sexe[5] aime moins longtemps que le nôtre, et que les ardeurs[6] que les
15 hommes font voir sont des feux qui s'éteignent aussi facilement qu'ils naissent.

OCTAVE. Ah ! ma chère Hyacinte, mon cœur n'est donc pas fait comme celui des hommes, et je sens bien, pour moi, que je vous aimerai jusqu'au tombeau.

20 **HYACINTE.** Je veux croire que vous sentez ce que vous dites, et je ne doute point que vos paroles ne soient sincères ; mais je crains un pouvoir qui combattra dans votre cœur les tendres sentiments que vous pouvez avoir pour moi. Vous dépendez d'un père qui veut vous marier à une autre personne, et je suis
25 sûre que je mourrai si ce malheur m'arrive.

OCTAVE. Non, belle Hyacinte, il n'y a point de père qui puisse me contraindre à vous manquer de foi[7], et je me

---

1. **Est-il vrai… ? :** est-ce vrai… ?
2. **M'ont donné une atteinte cruelle :** m'ont touché cruellement.
3. **Qu'on ne vous aime :** sans vous aimer.
4. **J'ai ouï dire :** j'ai entendu dire.
5. **Votre sexe :** les hommes (par opposition aux femmes).
6. **Les ardeurs :** l'amour.
7. **À vous manquer de foi :** à ne pas vous être fidèle.

résoudrai à quitter mon pays, et le jour même[1], s'il est besoin, plutôt qu'à vous quitter. J'ai déjà pris, sans l'avoir vue, une aver-
30 sion effroyable pour celle que l'on me destine, et, sans être cruel, je souhaiterais que la mer[2] l'écartât d'ici pour jamais. Ne pleurez donc point, je vous prie, mon aimable Hyacinte, car vos larmes tuent, et je ne les puis voir sans me sentir percer le cœur.

HYACINTE. Puisque vous le voulez, je veux bien essuyer
35 mes larmes, et j'attendrai d'un œil constant[3], ce qu'il plaira au Ciel de résoudre de moi[4].

OCTAVE. Le Ciel nous sera favorable.

HYACINTE. Il ne saurait m'être contraire, si vous m'êtes fidèle.

OCTAVE. Je le serai assurément.

40 HYACINTE. Je serai donc heureuse.

SCAPIN, à part. Elle n'est pas tant sotte, ma foi, et je la trouve assez passable.

OCTAVE, montrant Scapin. Voici un homme qui pourrait bien, s'il le voulait, nous être dans tous nos besoins d'un
45 secours merveilleux.

SCAPIN. J'ai fait de grands serments de ne me mêler plus du monde, mais, si vous m'en priez bien fort tous deux, peut-être...

OCTAVE. Ah ! s'il ne tient qu'à te prier bien fort pour obte-
50 nir ton aide, je te conjure de tout mon cœur de prendre la conduite de notre barque.

SCAPIN, à Hyacinte. Et vous, ne me dites-vous rien ?

HYACINTE. Je vous conjure, à son exemple, par tout ce qui vous est le plus cher au monde, de vouloir servir notre amour.

55 SCAPIN. Il faut se laisser vaincre et avoir de l'humanité. Allez, je veux m'employer pour vous.

---

1. **Et le jour même :** et même la vie.
2. **La mer :** les dangers de la mer (naufrage, capture par les Barbaresques).
3. **D'un œil constant :** d'un regard assuré.
4. **Ce qu'il plaira au Ciel de résoudre de moi :** ce que le Ciel décidera à mon sujet.

OCTAVE. Crois que...

SCAPIN, *à Octave.* Chut ! *(À Hyacinte.)* Allez-vous-en, vous, et soyez en repos. *(À Octave.)* Et vous, préparez-vous
60 à soutenir avec fermeté l'abord[1] de votre père.

OCTAVE. Je t'avoue que cet abord me fait trembler par avance, et j'ai une timidité naturelle que je ne saurais vaincre.

SCAPIN. Il faut pourtant paraître ferme au premier choc, de peur que, sur votre faiblesse, il ne prenne le pied[2] de vous
65 mener comme un enfant. Là, tâchez de vous composer[3] par étude. Un peu de hardiesse, et songez à répondre résolument sur tout ce qu'il pourra vous dire.

OCTAVE. Je ferai du mieux que je pourrai.

SCAPIN. Là, essayons un peu pour vous accoutumer. Répé-
70 tons un peu votre rôle, et voyons si vous ferez bien. Allons. La mine résolue, la tête haute, les regards assurés.

OCTAVE. Comme cela ?

SCAPIN. Encore un peu davantage.

OCTAVE. Ainsi ?

75 **SCAPIN.** Bon ! Imaginez-vous que je suis votre père qui arrive, et répondez-moi fermement, comme si c'était à lui-même. « Comment ! pendard, vaurien, infâme, fils indigne d'un père comme moi, oses-tu bien paraître devant mes yeux après tes bons déportements[4], après le lâche tour que
80 tu m'as joué pendant mon absence ? Est-ce là le fruit de mes soins, maraud, est-ce là le fruit de mes soins ? le respect qui m'est dû ? le respect que tu me conserves ? » Allons donc ! « Tu as l'insolence, fripon, de t'engager sans le consentement de ton père, de contracter un mariage clandestin ?
85 Réponds-moi, coquin ! réponds-moi ! Voyons un peu tes belles raisons ! » Oh ! que diable ! vous demeurez interdit ?

---

1. **L'abord :** la rencontre.
2. **Il ne prenne le pied... :** il ne tire avantage de votre faiblesse pour vous mener comme un enfant.
3. **De vous composer :** de vous composer un personnage.
4. **Tes bons déportements :** ta belle conduite (ironique).

ACTE I SCÈNE 3

███ SITUER

Octave s'est donc marié en l'absence de son père, et par conséquent sans son consentement. Quelle jeune fille a bien pu lui tourner ainsi la tête ?

███ RÉFLÉCHIR

STRUCTURE : une ou deux scènes ?

1. Quelles sont les deux parties de cette scène ? Dans une réplique* d'Octave, quelle didascalie* marque le passage de la première à la seconde ?

2. Quand Sylvestre intervient-il ? Pourquoi son intervention, si brève soit-elle, est-elle déterminante ?

3. Au « Que lui dirai-je ? » (l. 100) de Sylvestre, Scapin répond par un alexandrin. Retrouvez-le. En quoi cet échange résume-t-il assez bien les différences de caractère entre les deux valets ?

THÈMES : le paradoxe du comédien

4. Distinguez dans la tirade de Scapin les phrases qui sont les siennes et celles qu'il prête à Argante : quel est l'effet produit ? Quelle image le spectateur se forge-t-il de ce père qu'il n'a pas encore vu ?

5. Que devient Octave à la fin de la scène ? Scapin a-t-il le droit de porter sur lui un jugement aussi sévère ? N'est-il pas dans une certaine mesure lui-même responsable de la fuite de son jeune maître ?

STRATÉGIES : pour qui ? pour quoi ?

6. Quelles sont les raisons de l'inquiétude de Hyacinte ? En quoi ce qui se produit après son départ prouve-t-il la justesse de ses pressentiments ? Relevez les expressions où se manifestent à la fois la naïveté et la finesse de la jeune fille. Correspond-elle à un type de personnage de comédie traditionnel ?

7. À qui Scapin fait-il vraiment une faveur lorsqu'il accepte d'aider les deux jeunes gens ? Pourquoi se fait-il tant prier ? Quel trait de son caractère révèle son « Chut ! » (l. 58) ?

MISE EN SCÈNE : Scapin, Scapin, Scapin

8. Comment Scapin combine-t-il dans cette scène les fonctions de spectateur, metteur en scène et acteur ? N'est-il pas lui-même victime du rôle qu'il se donne ? Le comique qui apparaît ici peut-il se réduire à un type unique ?

9. Imaginez les gestes et les attitudes de Scapin lorsqu'il joue le rôle d'Argante.

███ ÉCRIRE

10. « Je répondrai fermement » (l. 91-92) : rédigez en une vingtaine de lignes la lettre qu'Octave pourrait écrire à son père pour justifier sa conduite.

41

OCTAVE. C'est que je m'imagine que c'est mon père que j'entends.

SCAPIN. Eh ! oui ! C'est par cette raison qu'il ne faut pas
90 être comme un innocent[1].

OCTAVE. Je m'en vais prendre plus de résolution, et je répondrai fermement.

SCAPIN. Assurément ?

OCTAVE. Assurément.

95 **SYLVESTRE.** Voilà votre père qui revient.

OCTAVE, *s'enfuyant.* Ô Ciel ! je suis perdu !

SCAPIN. Holà ! Octave, demeurez, Octave ! Le voilà enfui !
Quelle pauvre espèce d'homme ! Ne laissons pas d'attendre
le vieillard[2].

100 **SYLVESTRE.** Que lui dirai-je ?

SCAPIN. Laisse-moi dire, moi, et ne fais que me suivre.

SCÈNE 4. ARGANTE, SCAPIN, SYLVESTRE.

ARGANTE, *se croyant seul.* A-t-on jamais ouï parler d'une
action pareille à celle-là ?

SCAPIN. Il a déjà appris l'affaire[3], et elle lui tient si fort en
tête que tout seul il en parle haut.

5 **ARGANTE,** *se croyant seul.* Voilà une témérité bien grande !

SCAPIN. Écoutons-le un peu.

ARGANTE, *se croyant seul.* Je voudrais savoir ce qu'ils me
pourront dire sur ce beau mariage.

SCAPIN, *à part.* Nous y avons songé.

10 **ARGANTE,** *se croyant seul.* Tâcheront-ils de me nier la chose ?

---

1. **Un innocent :** un imbécile.
2. **Ne laissons pas d'attendre le vieillard :** n'en attendons pas moins le vieillard.
3. Il a déjà appris le mariage (par l'oncle d'Octave mentionné sc. 1 et 2).

SCAPIN, *à part*. Non, nous n'y pensons pas.

ARGANTE, *se croyant seul*. Ou s'ils entreprendront[1] de l'excuser ?

SCAPIN. Celui-là[2] se pourra faire.

15 ARGANTE, *se croyant seul*. Prétendront-ils m'amuser[3] par des contes en l'air ?

SCAPIN. Peut-être.

ARGANTE, *se croyant seul*. Tous leurs discours seront inutiles.

SCAPIN. Nous allons voir.

20 ARGANTE, *se croyant seul*. Ils ne m'en donneront point à garder[4].

SCAPIN. Ne jurons de rien.

ARGANTE, *se croyant seul*. Je saurai mettre mon pendard de fils en lieu de sûreté[5].

25 SCAPIN. Nous y pourvoirons.

ARGANTE, *se croyant seul*. Et pour le coquin de Sylvestre, je le rouerai de coups.

SYLVESTRE, *à Scapin*. J'étais bien étonné, s'il m'oubliait[6].

ARGANTE, *apercevant Sylvestre*. Ah ! ah ! vous voilà donc, 30 sage gouverneur de famille, beau directeur de jeunes gens[7] !

SCAPIN. Monsieur, je suis ravi de vous voir de retour.

---

1. **Ou s'ils entreprendront :** ou bien, peut-être, entreprendront-ils.
2. **Celui-là :** cela.
3. **M'amuser :** me tromper.
4. **Ils ne m'en donneront point à garder :** ils ne me tromperont pas.
5. **En lieu de sûreté :** en prison (mais Scapin donne à l'expression un sens totalement opposé lorsqu'il dit « Nous y pourvoirons » : nous veillerons à ce qu'il soit à l'abri).
6. **J'étais bien étonné, s'il m'oubliait :** j'aurais été bien étonné s'il m'avait oublié.
7. **Directeur de jeunes gens :** gouverneur, mais au sens de directeur de conscience.

ARGANTE. Bonjour, Scapin. *(À Sylvestre.)* Vous avez suivi mes ordres vraiment d'une belle manière, et mon fils s'est comporté fort sagement pendant mon absence !

35 **SCAPIN.** Vous vous portez bien, à ce que je vois ?

ARGANTE. Assez bien. *(À Sylvestre.)* Tu ne dis mot, coquin, tu ne dis mot !

SCAPIN. Votre voyage a-t-il été bon ?

ARGANTE. Mon Dieu, fort bon. Laisse-moi un peu querel-
40 ler en repos[1] !

SCAPIN. Vous voulez quereller ?

ARGANTE. Oui, je veux quereller.

SCAPIN. Et qui, Monsieur ?

ARGANTE, *montrant Sylvestre.* Ce maraud[2]-là.

45 **SCAPIN.** Pourquoi ?

ARGANTE. Tu n'as pas ouï parler de ce qui s'est passé dans mon absence ?

SCAPIN. J'ai bien ouï parler de quelque petite chose.

ARGANTE. Comment, quelque petite chose ! Une action
50 de cette nature ?

SCAPIN. Vous avez quelque raison…

ARGANTE. Une hardiesse pareille à celle-là ?

SCAPIN. Cela est vrai.

ARGANTE. Un fils qui se marie sans le consentement de son
55 père ?

SCAPIN. Oui, il y a quelque chose à dire à cela. Mais je serais d'avis que vous ne fissiez point de bruit[3].

----

1. **En repos :** tranquillement.
2. **Maraud :** coquin.
3. **Que vous ne fissiez point de bruit :** que vous n'en fissiez pas une affaire.

Grégory Gerreboo (Scapin) dans la mise en scène de Colette Roumanoff, théâtre Fontaine, 2002.

ARGANTE. Je ne suis pas de cet avis et je veux faire du bruit, tout mon soûl[1]. Quoi ! tu ne trouves pas que j'aie tous
60 les sujets du monde d'être en colère ?

SCAPIN. Si fait ! j'y ai d'abord été[2], moi, lorsque j'ai su la chose, et je me suis intéressé pour vous[3] jusqu'à quereller votre fils. Demandez-lui un peu quelles belles réprimandes je lui ai faites, et comme je l'ai chapitré[4] sur le peu de respect
65 qu'il gardait à un père dont il devait baiser les pas. On ne peut pas lui mieux parler, quand ce serait vous-même. Mais quoi ! je me suis rendu à la raison et j'ai considéré que, dans le fond, il n'a pas tant de tort qu'on pourrait croire.

ARGANTE. Que me viens-tu conter ? Il n'a pas tant de tort
70 de s'aller marier de but en blanc avec une inconnue ?

SCAPIN. Que voulez-vous ? Il a été poussé par sa destinée.

ARGANTE. Ah ! ah ! voici une raison la plus belle du monde ! On n'a plus qu'à commettre tous les crimes imaginables, tromper, voler, assassiner, et dire pour excuse qu'on
75 y a été poussé par sa destinée.

SCAPIN. Mon Dieu, vous prenez mes paroles trop en philosophe. Je veux dire qu'il s'est trouvé fatalement engagé dans cette affaire.

ARGANTE. Et pourquoi s'y engageait-il ?

80 **SCAPIN.** Voulez-vous qu'il soit aussi sage que vous ? Les jeunes gens sont jeunes, et n'ont pas toute la prudence qu'il leur faudrait pour ne rien faire que de raisonnable : témoin notre Léandre, qui, malgré toutes mes leçons, malgré toutes mes remontrances, est allé faire, de son côté, pis encore que
85 votre fils. Je voudrais bien savoir si vous-même n'avez pas été jeune et n'avez pas, dans votre temps, fait des fredaines[5] comme les autres. J'ai ouï dire, moi, que vous avez été autre-

---

1. **Tout mon soûl :** autant que je veux.
2. **J'y ai d'abord été :** j'ai d'abord été en colère.
3. **Je me suis intéressé pour vous :** j'ai défendu votre intérêt.
4. **Je l'ai chapitré :** je lui ai fait la leçon.
5. **Fredaines :** folies, sottises.

fois un compagnon parmi les femmes, que vous faisiez le drôle[1] avec les plus galantes de ce temps-là, et que vous n'en
90 approchiez point que vous ne poussassiez à bout[2].

ARGANTE. Cela est vrai, j'en demeure d'accord ; mais je m'en suis toujours tenu à la galanterie[3] et je n'ai point été jusqu'à faire ce qu'il a fait.

SCAPIN. Que vouliez-vous qu'il fît ? Il voit une jeune
95 personne qui lui veut du bien (car il tient cela de vous, d'être aimé de toutes les femmes). Il la trouve charmante. Il lui rend des visites, lui conte des douceurs, soupire galamment, fait le passionné. Elle se rend à sa poursuite[4]. Il pousse sa fortune[5]. Le voilà surpris avec elle par ses parents, qui, la
100 force à la main[6], le contraignent de l'épouser.

SYLVESTRE, *à part.* L'habile fourbe que voilà !

SCAPIN. Eussiez-vous voulu qu'il se fût laissé tuer ? Il vaut mieux encore être marié qu'être mort.

ARGANTE. On ne m'a pas dit que l'affaire se soit ainsi passée.

105 **SCAPIN,** *montrant Sylvestre.* Demandez-lui plutôt. Il ne vous dira pas le contraire.

ARGANTE, *à Sylvestre.* C'est par force qu'il a été marié ?

SYLVESTRE. Oui, Monsieur.

SCAPIN. Voudrais-je vous mentir ?

110 **ARGANTE.** Il devait[7] donc aller tout aussitôt protester de violence[8] chez un notaire.

SCAPIN. C'est ce qu'il n'a pas voulu faire.

---

1. **Vous faisiez le drôle :** vous en faisiez de belles.
2. **Que vous ne poussassiez à bout :** sans remporter sur elles une victoire totale.
3. **Galanterie :** relations amoureuses excluant le mariage.
4. **Elle se rend à sa poursuite :** elle ne repousse pas ses avances.
5. **Il pousse sa fortune :** il continue de tenter sa chance.
6. **La force à la main :** les armes à la main.
7. **Il devait :** il aurait dû.
8. **Protester de violence :** dénoncer la violence dont il était victime.

ARGANTE. Cela m'aurait donné plus de facilité à rompre ce mariage.

115 **SCAPIN.** Rompre ce mariage ?

ARGANTE. Oui.

SCAPIN. Vous ne le romprez point.

ARGANTE. Je ne le romprai point ?

SCAPIN. Non.

120 **ARGANTE.** Quoi ! je n'aurai pas pour moi les droits de père et la raison de[1] la violence qu'on a faite à mon fils ?

SCAPIN. C'est une chose dont il ne demeurera pas d'accord.

ARGANTE. Il n'en demeurera pas d'accord ?

125 **SCAPIN.** Non.

ARGANTE. Mon fils ?

SCAPIN. Votre fils. Voulez-vous qu'il confesse qu'il ait été capable de crainte, et que ce soit par force qu'on lui ait fait faire les choses ? Il n'a garde d'aller avouer cela. Ce serait se
130 faire tort, et se montrer indigne d'un père comme vous.

ARGANTE. Je me moque de cela.

SCAPIN. Il faut, pour son honneur et pour le vôtre, qu'il dise dans le monde que c'est de bon gré qu'il l'a épousée.

ARGANTE. Et je veux, moi, pour mon honneur et pour le
135 sien, qu'il dise le contraire.

SCAPIN. Non, je suis sûr qu'il ne le fera pas.

ARGANTE. Je l'y forcerai bien.

SCAPIN. Il ne le fera pas, vous dis-je.

ARGANTE. Il le fera, ou je le déshériterai.

140 **SCAPIN.** Vous ?

ARGANTE. Moi.

---

1. Je n'aurai pas [...] la raison de... : je n'aurai pas réparation de...

SCAPIN. Bon !

ARGANTE. Comment, bon !

SCAPIN. Vous ne le déshériterez point.

145 **ARGANTE.** Je ne le déshériterai point ?

SCAPIN. Non.

ARGANTE. Non ?

SCAPIN. Non.

ARGANTE. Ouais ! voici qui est plaisant. Je ne déshériterai
150 point mon fils ?

SCAPIN. Non, vous dis-je.

ARGANTE. Qui m'en empêchera ?

SCAPIN. Vous-même.

ARGANTE. Moi ?

155 **SCAPIN.** Oui. Vous n'aurez pas ce cœur-là.

ARGANTE. Je l'aurai.

SCAPIN. Vous vous moquez !

ARGANTE. Je ne me moque point.

SCAPIN. La tendresse paternelle fera son office.

160 **ARGANTE.** Elle ne fera rien.

SCAPIN. Oui, oui.

ARGANTE. Je vous dis que cela sera.

SCAPIN. Bagatelles !

ARGANTE. Il ne faut point dire : Bagatelles.

165 **SCAPIN.** Mon Dieu, je vous connais, vous êtes bon naturellement.

ARGANTE. Je ne suis point bon, et je suis méchant, quand
je veux. Finissons ce discours qui m'échauffe la bile[1]. *(En
s'adressant à Sylvestre.)* Va-t'en, pendard, va-t'en me cher-

---

1. **Qui m'échauffe la bile :** qui me met en colère.

▶ SITUER

Octave s'est enfui au seul nom de son père… Face à Argante, Scapin sera-t-il « l'habile ouvrier de ressorts et d'intrigues » qu'il prétend être ?

▶ RÉFLÉCHIR

STRUCTURE : un rythme varié

1. Les répliques sont-elles de même longueur ? Dégagez les différents mouvements de cette scène en vous appuyant sur les variations de rythme dans les dialogues.

2. « J'étais (*j'aurais été*) bien étonné s'il m'oubliait » (l. 28) : que fait Scapin à la suite de cette intervention de Sylvestre ?

DRAMATURGIE : monologues et apartés

3. Par quel signe de ponctuation les premiers propos d'Argante se terminent-ils ? Par quelle didascalie et par quelle réplique de Scapin Molière justifie-t-il la tournure de ces propos ? Que nous apprennent-ils sur les sentiments du personnage ?

4. Les apartés* de Scapin sont-ils des réponses à Argante ? Quelle est leur véritable fonction ?

PERSONNAGES : un dialogue de sourds ?

5. Que reproche Argante à son fils ? L'amour joue-t-il un rôle dans sa conception du mariage ? Quel nom commun son propre nom, « Argante », évoque-t-il ?

6. Relevez dans les propos d'Argante les expressions qui montrent sa bonne et aussi sa mauvaise foi. L'Argante que nous découvrons est-il conforme à celui que nous avons pu imaginer à partir du portrait qu'en a donné son fils, et de la caricature faite par Scapin dans la scène précédente ?

STRATÉGIES : argumentation et séduction

7. Par quels arguments Scapin défend-il Octave ? Relevez les phrases dans lesquelles il essaie de persuader Argante en jouant sur sa vanité.

8. Relevez des passages où Scapin ment en disant strictement la vérité. De quel comique s'agit-il ?

▶ ÉCRIRE

9. « Je ne suis point bon, et je suis méchant quand je veux » (l. 167) : expliquez en quelques lignes ce que signifie cette expression d'Argante.

170 cher mon fripon tandis que j'irai rejoindre le seigneur Géronte pour lui conter ma disgrâce[1].

SCAPIN. Monsieur, si je vous puis être utile en quelque chose, vous n'avez qu'à me commander.

ARGANTE. Je vous remercie. *(À part.)* Ah ! pourquoi faut-175 il qu'il soit fils unique ! Et que n'ai-je à cette heure la fille que le Ciel m'a ôtée, pour la faire mon héritière !

SCÈNE 5. SCAPIN, SYLVESTRE.

SYLVESTRE. J'avoue que tu es un grand homme, et voilà l'affaire en bon train, mais l'argent, d'autre part, nous presse[2] pour notre subsistance, et nous avons de tous côtés des gens qui aboient après nous.

5 **SCAPIN.** Laisse-moi faire, la machine[3] est trouvée. Je cherche seulement dans ma tête un homme qui nous soit affidé[4], pour jouer un personnage dont j'ai besoin. Attends. Tiens-toi un peu. Enfonce ton bonnet en méchant garçon. Campe-toi sur un pied. Mets ta main au côté. Fais les yeux 10 furibonds. Marche un peu en roi de théâtre[5]. Voilà qui est bien. Suis-moi. J'ai les secrets pour déguiser ton visage et ta voix.

SYLVESTRE. Je te conjure de ne m'aller point brouiller avec la justice.

15 **SCAPIN.** Va, va, nous partagerons les périls en frères ; et trois ans de galère de plus ou de moins ne sont pas pour arrêter un noble cœur.

---

1. **Disgrâce :** malheur.
2. **L'argent [...] nous presse :** nous avons besoin d'argent de façon pressante.
3. **Machine :** ruse.
4. **Qui nous soit affidé :** sur qui nous puissions compter.
5. **En roi de théâtre :** comme un acteur dont la spécialité est d'interpréter les rois dans les pièces de théâtres populaires.

▶ SITUER

Scapin a su convaincre Argante que son fils Octave avait des circonstances atténuantes. Mais si Argante est prêt à pardonner, il n'en a pas moins la ferme intention de faire annuler le mariage. Scapin doit donc poursuivre son travail…

▶ RÉFLÉCHIR

STRATÉGIES : actes et paroles

1. Où Scapin a-t-il déjà joué le rôle qu'il joue ici face à Sylvestre ?

2. Où a-t-on déjà rencontré l'expression « brouiller avec la justice » ? Que font entrevoir sur le passé de Scapin cette expression ainsi que l'allusion à la galère ?

3. « La machine est trouvée » (l. 5) : quel sens faut-il donner ici au terme « machine » ? À la fin de la scène, savons-nous quelque chose de cette « machine » ? À quoi sert cette annonce en fin d'acte ?

DRAMATURGIE : le jeu dans le théâtre : valets ou rois ?

4. Quel sens donnez-vous à « Attends » dans la première réplique de Scapin ? Qu'introduit ce terme ? Pensez-vous, d'après ce que nous avons vu de lui, que Scapin a déjà trouvé la « machine », ou y a-t-il chez lui une part d'improvisation ?

5. Scapin metteur en scène dirige Sylvestre comme il a essayé de diriger Octave (sc. 3). Qu'est-ce qui indique qu'il pense avoir trouvé ici un élève plus doué qu'Octave ?

PERSONNAGES : deux valets bien différents

6. Que pensez-vous des compliments que Sylvestre adresse à Scapin ? Sont-ils sincères ? Est-il facile de définir le caractère de Sylvestre ?

7. Comment définissez-vous les rapports entre les deux valets ? Sont-ils à égalité ?

MISE EN SCÈNE : rois ou bouffons ?

8. Que signifie l'expression « Marche un peu en roi de théâtre » ? Pourquoi est-elle comique ? Est-ce une invite sérieuse ou une nouvelle raillerie de Scapin ? Pourrait-on jouer cette scène comme s'il s'agissait d'un numéro de clowns ? Qui serait alors le clown blanc ? Et qui serait l'Auguste ? Pourquoi peut-on parler ici de « mise en abyme » ?

OÙ EN EST-ON ?

Au cours de ce premier acte, le spectateur a rencontré cinq personnages : Octave, qui a défié l'autorité de son père Argante en épousant sans son consentement la jeune Hyacinte, Sylvestre qui l'a laissé faire alors qu'il devait le surveiller et qui ne sait pas le défendre contre la colère paternelle, et Scapin qui promet son aide et dont tout le monde attend beaucoup.

1. Observez l'ordre d'apparition des personnages : en quoi prépare-t-il l'action ?

DEUX VALETS

Tout va par deux dans *Les Fourberies de Scapin* : les amoureux, les pères mais aussi les valets. Ces symétries cachent pourtant bien des différences.

2. Sylvestre et Scapin représentent deux valets dont le caractère et l'influence dans l'intrigue sont bien différents. Qu'est-ce qui les rapproche et qu'est-ce qui les sépare ?

3. Pourquoi, une fois qu'on a assisté à sa rencontre avec Argante, Scapin semble-t-il moins malhonnête qu'auparavant ?

DEUX INTRIGUES MÊLÉES

À partir du moment où intervient Scapin, le spectateur découvre qu'il existe une intrigue parallèle, avec des personnages qui restent encore dans la coulisse.

4. Quelle est cette seconde intrigue ?

5. Comment les projets de mariage établis par les pères pour leurs fils mêlent-ils les deux intrigues ? En quoi cette situation relève-t-elle du roman ? En quoi relève-t-elle de la farce ?

UN COMIQUE VARIÉ

Le premier acte est un acte d'exposition qui met en place les éléments de l'intrigue. Ici, Molière se plaît aussi à exploiter la variété des tons et des procédés comiques.

6. On rit souvent dans ce premier acte, vif et enlevé : de qui rit-on ? Avec qui ? À propos de quoi ? Relevez les diverses formes que revêt le comique.

ACTE II

SCÈNE PREMIÈRE. GÉRONTE, ARGANTE.

GÉRONTE. Oui, sans doute, par le temps qu'il fait, nous aurons ici nos gens[1] aujourd'hui ; et un matelot qui vient de Tarente m'a assuré qu'il avait vu mon homme qui était près de s'embarquer. Mais l'arrivée de ma fille trouvera les choses
5 mal disposées à ce que nous nous proposions, et ce que vous venez de m'apprendre de votre fils rompt étrangement les mesures que nous avions prises ensemble.

ARGANTE. Ne vous mettez pas en peine ; je vous réponds de renverser tout cet obstacle, et j'y travaille de ce pas.

10 **GÉRONTE.** Ma foi, seigneur Argante, voulez-vous que je vous dise ? l'éducation des enfants est une chose à quoi il faut s'attacher fortement.

ARGANTE. Sans doute[2]. À quel propos cela ?

GÉRONTE. À propos de ce que les mauvais déportements[3]
15 des jeunes gens viennent le plus souvent de la mauvaise éducation que leurs pères leur donnent.

ARGANTE. Cela arrive parfois. Mais que voulez-vous dire par là ?

GÉRONTE. Ce que je veux dire par là ?

20 **ARGANTE.** Oui.

GÉRONTE. Que, si vous aviez, en brave père, bien morigéné[4] votre fils, il ne vous aurait pas joué le tour qu'il vous a fait.

ARGANTE. Fort bien. De sorte donc que vous avez bien morigéné le vôtre ?

25 **GÉRONTE.** Sans doute, et je serais bien fâché qu'il m'eût rien[5] fait approchant de cela.

---

1. **Nos gens :** la famille de Géronte, dont bien sûr sa fille.
2. **Sans doute :** sans aucun doute.
3. **Déportements :** comportements.
4. **Morigéné :** éduqué avec sévérité.
5. **Rien :** quelque chose.

ARGANTE. Et si ce fils que vous avez, en brave père, si bien morigéné, avait fait pis encore que le mien, eh ?

GÉRONTE. Comment ?

30 **ARGANTE.** Comment ?

GÉRONTE. Qu'est-ce que cela veut dire ?

ARGANTE. Cela veut dire, seigneur Géronte, qu'il ne faut pas être si prompt à condamner la conduite des autres, et que ceux qui veulent gloser[1] doivent bien regarder chez eux 35 s'il n'y a rien qui cloche.

GÉRONTE. Je n'entends point cette énigme.

ARGANTE. On vous l'expliquera.

GÉRONTE. Est-ce que vous auriez ouï dire quelque chose de mon fils ?

40 **ARGANTE.** Cela se peut faire[2].

GÉRONTE. Et quoi encore ?

ARGANTE. Votre Scapin, dans mon dépit[3], ne m'a dit la chose qu'en gros, et vous pourrez, de lui ou de quelque autre, être instruit du détail. Pour moi, je vais vite consulter 45 un avocat, et aviser des biais[4] que j'ai à prendre. Jusqu'au revoir.

---

1. **Gloser :** analyser en critiquant.
2. **Cela se peut faire :** c'est bien possible.
3. **Dépit :** colère, rage.
4. **Biais :** moyens.

Argante va donc conter sa disgrâce à son ami Géronte : il n'est plus question de marier la fille de celui-ci à Octave, puisqu'Octave vient d'épouser une autre femme ! Quelle va être la réaction de Géronte à cette nouvelle ?

■ **RÉFLÉCHIR**

STRUCTURE : coup pour coup

1. Molière nous fait entrer directement dans la conversation entre Argante et Géronte : quel effet cela produit-il ?

2. Géronte appelle Argante « seigneur Argante » (l. 10). Quand Argante l'appelle-t-il à son tour « seigneur Géronte » ? Quels sont alors les sentiments d'Argante ? En quoi ces expressions peuvent-elles nous aider à définir les mouvements de la scène ?

3. « Ce que je veux dire par là » (l. 19), « Qu'est-ce que cela veut dire ? » (l. 31) : relevez d'autres phénomènes d'écho dans le dialogue. Qu'expriment-ils des relations entre les personnages ? En quoi sont-ils source de comique ?

4. Quelles sont les trois interprétations qu'on peut donner à la reprise de la question « Comment ? » par Argante ?

REGISTRES ET TONALITÉS : l'insistance ironique

5. « De sorte donc que… » (l. 23). Quelle idée logique la locution « de sorte que » exprime-t-elle ? Et le mot « donc » ? Qu'exprime ce pléonasme ?

PERSONNAGES : père contre père, ou d'homme à homme ?

6. Quels sont l'origine et le sens du nom « Géronte » ? Trouvez en français des mots de la même famille.

7. À partir de la différence de leurs réactions, comparez les caractères de Géronte et d'Argante.

8. Comment leurs réactions différentes face à une situation donnée prolongent-elles celles que nous avions pu constater chez leurs valets à la fin du premier acte ?

DRAMATURGIE : le parallélisme des situations, source de rire

9. Pourquoi Argante quitte-t-il Géronte un peu brutalement, sans lui donner d'explications plus précises ?

10. Dans cette scène, le spectateur en sait plus que l'un des personnages : lequel ? Auquel des deux vieillards est-il amené à s'identifier ? Quel est finalement le seul personnage vraiment ridicule ?

11. Pourquoi le titre du premier film comique de l'histoire du cinéma, *L'Arroseur arrosé*, pourrait-il s'appliquer à cette scène ?

SCÈNE 2. LÉANDRE, GÉRONTE.

GÉRONTE, *seul.* Que pourrait-ce être que cette affaire-ci ? Pis encore que le sien ! Pour moi, je ne vois pas ce que l'on peut faire de pis, et je trouve que se marier sans le consentement de son père est une action qui passe tout ce qu'on peut
5 s'imaginer. Ah ! vous voilà !

LÉANDRE, *en courant à lui pour l'embrasser.* Ah ! mon père, que j'ai de joie de vous voir de retour !

GÉRONTE, *refusant de l'embrasser.* Doucement. Parlons un peu d'affaire[1].

10 **LÉANDRE.** Souffrez que je vous embrasse[2], et que…

GÉRONTE, *le repoussant encore.* Doucement, vous dis-je.

LÉANDRE. Quoi ! Vous me refusez, mon père, de vous exprimer mon transport[3] par mes embrassements ?

GÉRONTE. Oui. Nous avons quelque chose à démêler[4]
15 ensemble.

LÉANDRE. Et quoi ?

GÉRONTE. Tenez-vous, que je vous voie en face.

LÉANDRE. Comment ?

GÉRONTE. Regardez-moi entre deux yeux.

20 **LÉANDRE.** Hé bien ?

GÉRONTE. Qu'est-ce donc qu'il s'est passé ici ?

LÉANDRE. Ce qui s'est passé ?

GÉRONTE. Oui. Qu'avez-vous fait dans[5] mon absence ?

LÉANDRE. Que voulez-vous, mon père, que j'aie fait ?

---

1. **Parlons […] d'affaire :** parlons sérieusement.
2. **Souffrez que je vous embrasse :** laissez-moi vous embrasser.
3. **Mon transport :** ma joie.
4. **Démêler :** éclaircir.
5. **Dans :** pendant.

25 **GÉRONTE.** Ce n'est pas moi qui veux que vous ayez fait, mais qui demande ce que c'est que vous avez fait.

LÉANDRE. Moi ? je n'ai fait aucune chose dont vous ayez lieu de vous plaindre.

GÉRONTE. Aucune chose ?

30 **LÉANDRE.** Non.

GÉRONTE. Vous êtes bien résolu[1].

LÉANDRE. C'est que je suis sûr de mon innocence.

GÉRONTE. Scapin pourtant a dit de vos nouvelles.

LÉANDRE. Scapin !

35 **GÉRONTE.** Ah ! ah ! ce mot vous fait rougir.

LÉANDRE. Il vous a dit quelque chose de moi ?

GÉRONTE. Ce lieu[2] n'est pas tout à fait propre à vider[3] cette affaire, et nous allons l'examiner ailleurs. Qu'on se rende au logis. J'y vais revenir tout à l'heure[4]. Ah ! traître, s'il faut que
40 tu me déshonores, je te renonce[5] pour mon fils, et tu peux bien pour jamais te résoudre à fuir de ma présence.

Scène 3. Octave, Scapin, Léandre.

LÉANDRE, *seul.* Me trahir de cette manière ! Un coquin qui doit par cent raisons être le premier à cacher les choses que je lui confie, est le premier à les aller découvrir à mon père ! Ah ! je jure le Ciel[6] que cette trahison ne demeurera pas impunie.

5 **OCTAVE.** Mon cher Scapin, que ne dois-je point à tes soins ! Que tu es un homme admirable ! et que le Ciel m'est favorable de t'envoyer à mon secours !

---

1. **Résolu** : sûr de vous.
2. **Ce lieu** : la rue dans laquelle ils se trouvent.
3. **Vider** : régler.
4. **Tout à l'heure** : tout de suite.
5. **Je te renonce** : je te renie.
6. **Je jure le Ciel** : je jure par le Ciel.

SITUER

Géronte vient d'apprendre par son ami Argante que son propre fils Léandre a fait, lui aussi, une bêtise, mais il en ignore la nature exacte. Que va-t-il se passer quand le hasard met justement le jeune homme sur son chemin ?

RÉFLÉCHIR

STRATÉGIES : je sais que tu sais que je sais

1. Quand Léandre répond-il par des questions aux questions de son père, et pourquoi ?

2. À quel moment Léandre peut-il se croire tiré d'affaire ? Quel type de phrase emploie-t-il alors ?

3. Quel sentiment Léandre éprouve-t-il quand il s'exclame « Scapin ! » (l. 34) ?

4. « Il vous a dit quelque chose de moi ? » (l. 36). Cette interrogation qui constitue la dernière réplique de Léandre est-elle une véritable interrogation ? Qu'en est-il réellement ?

SOCIÉTÉ : le pouvoir des pères

5. Quel est le thème qui apparaît dans la première et dans la dernière réplique de Géronte ? Qu'exprime-t-il chez ce vieillard ?

6. « Que voulez-vous, mon père, que j'aie fait ? » (l. 24), « Ce n'est pas moi qui veux que vous ayez fait » (l. 25) : le verbe *vouloir* a-t-il le même sens dans les deux phrases ? Que signifie-t-il dans la bouche de Géronte ?

7. Relevez les expressions qui montrent que Géronte est mécontent de son fils moins pour des raisons morales que parce qu'il est touché dans son pouvoir de père.

8. La raison invoquée par Géronte dans la dernière réplique lorsqu'il interrompt sa conversation avec son fils est-elle vraisemblable ?

REGISTRES ET TONALITÉS : père et fils, un comique grinçant

9. Si l'on se rappelle les affirmations de Géronte dans la scène précédente, n'a-t-il pas des raisons supplémentaires d'être furieux contre son fils ? En quoi cela produit-il un effet comique ?

10. Le dialogue de cette scène serait-il comique pour un témoin ordinaire ? Pourquoi l'est-il pour le spectateur ? Qu'est-ce qui est toujours resté sous-entendu dans ce dialogue ?

MISE EN SCÈNE : en avant, en arrière

11. Imaginez la manière dont les deux acteurs se rapprochent ou s'éloignent l'un de l'autre en fonction de l'évolution du dialogue.

ÉCRIRE

12. Rédigez le monologue intérieur de Léandre pendant toute cette scène.

LÉANDRE. Ah ! ah ! vous voilà. Je suis ravi de vous trouver, Monsieur le coquin.

10 **SCAPIN.** Monsieur, votre serviteur. C'est trop d'honneur que vous me faites.

LÉANDRE, *mettant l'épée à la main.* Vous faites le méchant plaisant ? Ah ! je vous apprendrai…

SCAPIN, *se mettant à genoux.* Monsieur !

15 **OCTAVE,** *se mettant entre eux pour empêcher Léandre de le frapper.* Ah ! Léandre !

LÉANDRE. Non, Octave, ne me retenez point, je vous prie.

SCAPIN, *à Léandre.* Eh ! Monsieur !

OCTAVE, *le retenant.* De grâce !

20 **LÉANDRE,** *voulant frapper Scapin.* Laissez-moi contenter[1] mon ressentiment.

OCTAVE. Au nom de l'amitié, Léandre, ne le maltraitez point !

SCAPIN. Monsieur, que vous ai-je fait ?

25 **LÉANDRE,** *voulant le frapper.* Ce que tu m'as fait, traître ?

OCTAVE, *le retenant.* Eh ! doucement !

LÉANDRE. Non, Octave, je veux qu'il me confesse lui-même tout à l'heure la perfidie qu'il m'a faite. Oui, coquin, je sais le trait[2] que tu m'as joué, on vient de me l'apprendre,
30 et tu ne croyais pas peut-être que l'on me dût révéler ce secret ; mais je veux en avoir la confession de ta propre bouche, ou je vais te passer cette épée au travers du corps.

SCAPIN. Ah ! Monsieur, auriez-vous bien ce cœur-là ?

LÉANDRE. Parle donc.

35 **SCAPIN.** Je vous ai fait quelque chose, Monsieur ?

---

1. **Contenter :** satisfaire.
2. **Le trait :** le tour.

LÉANDRE. Oui, coquin, et ta conscience ne te dit que trop ce que c'est.

SCAPIN. Je vous assure que je l'ignore.

LÉANDRE, *s'avançant pour le frapper.* Tu l'ignores !

40 **OCTAVE,** *le retenant.* Léandre !

SCAPIN. Eh bien ! Monsieur, puisque vous le voulez, je vous confesse que j'ai bu avec mes amis ce petit quartaut[1] de vin d'Espagne dont on vous fit présent il y a quelques jours, et que c'est moi qui fis une fente au tonneau, et répandis de
45 l'eau autour pour faire croire que le vin s'était échappé.

LÉANDRE. C'est toi, pendard, qui m'as bu mon vin d'Espagne, et qui as été cause que j'ai tant querellé la servante, croyant que c'était elle qui m'avait fait le tour ?

SCAPIN. Oui, Monsieur, je vous en demande pardon.

50 **LÉANDRE.** Je suis bien aise d'apprendre cela ; mais ce n'est pas l'affaire dont il est question maintenant.

SCAPIN. Ce n'est pas cela, Monsieur ?

LÉANDRE. C'est une autre affaire qui me touche bien plus, et je veux que tu me la dises.

55 **SCAPIN.** Monsieur, je ne me souviens pas d'avoir fait autre chose.

LÉANDRE, *voulant le frapper.* Tu ne veux pas parler ?

SCAPIN. Eh !

OCTAVE, *le retenant.* Tout doux !

60 **SCAPIN.** Oui, Monsieur, il est vrai[2] qu'il y a trois semaines que vous m'envoyâtes porter, le soir, une petite montre à la jeune Égyptienne que vous aimez. Je revins au logis, mes habits tout couverts de boue et le visage plein de sang, et vous dis que j'avais trouvé des voleurs qui m'avaient bien

_____

1. **Quartaut :** petit tonneau.
2. Cet « il est vrai que » ne s'applique pas seulement à la précision « il y a trois semaines », mais à l'ensemble de l'aveu contenu dans cette réplique de Scapin.

65 battu et m'avaient dérobé la montre. C'était moi, Monsieur, qui l'avais retenue[1].

LÉANDRE. C'est toi qui as retenu ma montre ?

SCAPIN. Oui, Monsieur, afin de voir quelle heure il est.

LÉANDRE. Ah ! ah ! j'apprends ici de jolies choses, et j'ai
70 un serviteur fort fidèle, vraiment. Mais ce n'est pas encore cela que je demande.

SCAPIN. Ce n'est pas cela ?

LÉANDRE. Non, infâme ; c'est autre chose encore que je veux que tu me confesses.

75 **SCAPIN,** *à part.* Peste !

LÉANDRE. Parle vite, j'ai hâte.

SCAPIN. Monsieur, voilà tout ce que j'ai fait.

LÉANDRE, *voulant frapper Scapin.* Voilà tout ?

OCTAVE, *se mettant au-devant.* Eh !

80 **SCAPIN.** Eh bien ! oui Monsieur, vous vous souvenez de ce loup-garou[2], il y a six mois, qui vous donna tant de coups de bâton, la nuit, et vous pensa faire rompre le cou[3] dans une cave où vous tombâtes en fuyant.

LÉANDRE. Hé bien ?

85 **SCAPIN.** C'était moi, Monsieur, qui faisais le loup-garou.

LÉANDRE. C'était toi, traître, qui faisais le loup-garou ?

SCAPIN. Oui, Monsieur, seulement pour vous faire peur et vous ôter l'envie de me faire courir toutes les nuits, comme vous aviez coutume.

90 **LÉANDRE.** Je saurai me souvenir en temps et lieu de tout ce que je viens d'apprendre. Mais je veux venir au fait, et que tu me confesses ce que tu as dit à mon père.

---

1. **Retenue :** gardée.
2. **Loup-garou :** homme qui, selon la superstition, se transforme la nuit en loup.
3. **Vous pensa faire rompre le cou :** faillit vous faire rompre le cou.

◼ SITUER

Y aurait-il une faille dans la « machine » de Scapin ? Pour calmer Argante, Scapin lui a appris que le fils de Géronte, Léandre, s'est comporté encore plus mal qu'Octave. Mais pouvait-il prévoir qu'Argante le répéterait à Géronte, que Géronte le répéterait à Léandre, et que Léandre rencontrerait aussitôt... Scapin !

◼ RÉFLÉCHIR

DRAMATURGIE : sous-entendus et malentendus

1. « Monsieur le coquin » : Scapin interprète-t-il l'apostrophe de Léandre comme un véritable reproche ? En est-ce d'ailleurs un ? Léandre commence par vouvoyer son valet. Quand revient-il au tutoiement ? Pourquoi ?

2. Léandre veut punir Scapin, Octave remercie celui-ci : pourquoi ces comportements opposés ?

3. Les aveux de Scapin : s'agit-il de l'aveu attendu ? Expliquez comment les malentendus s'enchaînent. Quel est l'effet comique produit ?

4. En quoi Léandre ressemble-t-il à son père ? N'y a-t-il pas au cœur de cette scène un principe analogue à celui de la scène précédente ?

PERSONNAGES : Scapin fourbe sur tous les fronts

5. À qui s'adresse la réponse de Scapin « C'est trop d'honneur que vous me faites » (l. 10-11) ?

6. Pourquoi le second des trois méfaits avoués par Scapin est-il plus grave que le premier, et le troisième plus grave que le second ? Que révèle cette gradation sur les sentiments profonds de Scapin à l'égard de son maître ?

7. Ces révélations n'amènent-elles pas le spectateur à s'interroger sur les mobiles réels qui poussent Scapin à défendre les fils contre leurs pères ?

THÈMES : les deux visages de la réalité

8. Scapin ment-il lorsqu'il proclame son innocence ? Relevez les passages où mensonge et vérité ne sont pas loin de se confondre.

9. Lorsqu'il avoue ses trois méfaits, Scapin n'éprouve-t-il pas un certain plaisir ? Est-il en position d'infériorité ? Ne devait-il pas fatalement, un jour ou l'autre, se laisser aller à de tels aveux ?

◼ ÉCRIRE

10. Relevez les interventions d'Octave et imaginez, en une vingtaine de lignes, ses réflexions pendant les aveux de Scapin.

SCAPIN. À votre père ?

LÉANDRE. Oui, fripon, à mon père.

95 **SCAPIN.** Je ne l'ai pas seulement vu depuis son retour.

LÉANDRE. Tu ne l'as pas vu ?

SCAPIN. Non, Monsieur.

LÉANDRE. Assurément ?

SCAPIN. Assurément. C'est une chose que je vais vous faire
100 dire par lui-même.

LÉANDRE. C'est de sa bouche que je le tiens, pourtant.

SCAPIN. Avec votre permission, il n'a pas dit la vérité.

SCÈNE 4. CARLE, SCAPIN,
LÉANDRE, OCTAVE.

CARLE. Monsieur, je vous apporte une nouvelle qui est
fâcheuse pour votre amour.

LÉANDRE. Comment ?

CARLE. Vos Égyptiens sont sur le point de vous enlever
5 Zerbinette, et elle-même, les larmes aux yeux, m'a chargé de
venir promptement vous dire que, si dans deux heures vous
ne songez à leur porter l'argent qu'ils vous ont demandé
pour elle[1], vous l'allez perdre pour jamais[2].

LÉANDRE. Dans deux heures ?

10 **CARLE.** Dans deux heures.

LÉANDRE. Ah ! mon pauvre Scapin ! j'implore ton secours.

SCAPIN, *passant devant lui avec un air fier.* « Ah ! mon
pauvre Scapin ! » je suis « mon pauvre Scapin » à cette heure
qu'on a besoin de moi.

15 **LÉANDRE.** Va, je te pardonne tout ce que tu viens de me
dire, et pis encore, si tu me l'as fait.

---

1. Pour elle : en échange d'elle.
2. Pour jamais : pour toujours.

Jacques Toja (Léandre), Robert Hirsch (Scapin) et Michel Beaune (Octave)
dans la mise en scène de Jacques Charon, Comédie-Française, 1956.

SCAPIN. Non, non, ne me pardonnez rien. Passez-moi votre épée au travers du corps. Je serai ravi que vous me tuiez.

LÉANDRE. Non. Je te conjure plutôt de me donner la vie
20 en servant mon amour.

SCAPIN. Point, point, vous ferez mieux de me tuer.

LÉANDRE. Tu m'es trop précieux ; et je te prie de vouloir employer pour moi ce génie[1] admirable qui vient à bout de toute chose.

25 **SCAPIN.** Non, tuez-moi, vous dis-je.

LÉANDRE. Ah ! de grâce, ne songe plus à tout cela, et pense à me donner le secours que je te demande.

OCTAVE. Scapin, il faut faire quelque chose pour lui.

SCAPIN. Le moyen, après une avanie[2] de la sorte ?

30 **LÉANDRE.** Je te conjure d'oublier mon emportement et de me prêter ton adresse.

OCTAVE. Je joins mes prières aux siennes.

SCAPIN. J'ai cette insulte-là sur le cœur.

OCTAVE. Il faut quitter ton ressentiment.

35 **LÉANDRE.** Voudrais-tu m'abandonner, Scapin, dans la cruelle extrémité où se voit mon amour ?

SCAPIN. Me venir faire à l'improviste un affront comme celui-là !

LÉANDRE. J'ai tort, je le confesse.

40 **SCAPIN.** Me traiter de coquin, de fripon, de pendard, d'infâme !

LÉANDRE. J'en ai tous les regrets du monde.

SCAPIN. Me vouloir passer son épée au travers du corps !

LÉANDRE. Je t'en demande pardon de tout mon cœur ; et, s'il ne tient qu'à me jeter à tes genoux, tu m'y vois, Scapin,
45 pour te conjurer encore une fois de ne me point abandonner.

---

1. Génie : talent.
2. Avanie : vexation.

ACTE II SCÈNE 4

SITUER

Léandre n'en croit pas ses oreilles : Scapin lui avoue qu'il l'a dupé trois fois ! Scapin est-il perdu ?

RÉFLÉCHIR

STRATÉGIES : la revanche de Scapin

1. « Passez-moi votre épée au travers du corps ». « Levez-vous ! » : ces impératifs de Scapin ont-ils la même valeur ?

2. Au début de la scène, Scapin reste sans réaction. Quelle information lui fait comprendre que la situation se renverse en sa faveur ?

3. Pourquoi Scapin se fait-il prier ? Il était redevenu valet : quel rôle retrouve-t-il ? Quand et pourquoi décide-t-il de se montrer bon prince ?

DRAMATURGIE : le coup de théâtre

4. En quoi l'intervention de Carle constitue-t-elle un coup de théâtre* ? Dans quelle scène avions-nous déjà entendu des nouvelles « fâcheuses » ?

5. Cette scène se situe au milieu de la pièce : en quoi marque-t-elle une étape capitale dans la succession des événements ?

6. L'expression « dans deux heures » revient trois fois dans les dix premières lignes de la scène. Est-elle indispensable ou même utile ? À quelle règle du théâtre classique renvoie-t-elle ?

PERSONNAGES : impertinence et insolence

7. « Je veux tirer cet argent de vos pères » (l. 56), dit Scapin. Est-ce là ce que demandaient les fils ? Quel but poursuit donc Scapin ?

8. Étudiez les insolences dans le portrait que Scapin fait de Géronte en présence de son fils Léandre. Quel sens faut-il donner à l'exclamation de Léandre « Tout beau, Scapin » ? Compte tenu de ce que nous savons du passé de Scapin, faut-il croire ce qu'il dit dans la réplique qui amène cette réaction de Léandre ?

9. « Une espèce d'homme à qui l'on fera toujours croire tout ce que l'on voudra » (l. 61) : cette remarque de Scapin ne s'applique-t-elle qu'à Géronte ? Qui peut encore se sentir visé ?

MISE EN SCÈNE : par l'épée

10. Que devient l'épée entre les mains de Léandre – et peut-être de Scapin – tout au long de la scène ?

OCTAVE. Ah ! ma foi, Scapin, il se faut rendre à cela.

SCAPIN. Levez-vous[1]. Une autre fois, ne soyez point si prompt.

LÉANDRE. Me promets-tu de travailler pour moi ?

SCAPIN. On y songera.

50 **LÉANDRE.** Mais tu sais que le temps presse !

SCAPIN. Ne vous mettez pas en peine. Combien est-ce qu'il vous faut ?

LÉANDRE. Cinq cents écus[2].

SCAPIN. Et à vous ?

55 **OCTAVE.** Deux cents pistoles.

SCAPIN. Je veux tirer cet argent de vos pères. *(À Octave.)* Pour ce qui est du vôtre, la machine est déjà toute trouvée. *(À Léandre.)* Et quant au vôtre, bien qu'avare au dernier degré, il y faudra moins de façons encore ; car vous savez

60 que, pour l'esprit, il n'en a pas, grâces à Dieu, grande provision, et je le livre pour[3] une espèce d'homme à qui l'on fera toujours croire tout ce que l'on voudra. Cela ne vous offense point[4], il ne tombe entre lui et vous aucun soupçon de ressemblance ; et vous savez assez l'opinion de tout le

65 monde, qui veut qu'il ne soit votre père que pour la forme.

LÉANDRE. Tout beau, Scapin.

SCAPIN. Bon, bon, on fait bien scrupule de cela : vous moquez-vous ? Mais j'aperçois venir le père d'Octave. Commençons par lui, puisqu'il se présente. Allez-vous-en

70 tous deux. *(À Octave.)* Et vous, avertissez votre Sylvestre de venir vite jouer son rôle.

---

1. **Levez-vous :** Scapin s'adresse à Léandre, qui vient de se « jeter à [ses] genoux ».
2. Un écu vaut trois livres, une pistole en vaut dix ou onze. Cinq cents écus font donc 1 500 livres, et 200 pistoles 2 000 ou 2 200 livres. Le salaire mensuel d'un charpentier à l'époque de Molière était d'environ quinze livres.
3. **Je le livre pour :** je le considère comme.
4. **Cela ne vous offense point :** que cela ne vous offense point.

SCÈNE 5. ARGANTE, SCAPIN.

SCAPIN, *à part.* Le voilà qui rumine.

ARGANTE, *se croyant seul.* Avoir si peu de conduite et de considération[1] ! S'aller jeter dans un engagement comme celui-là ! Ah ! ah ! jeunesse impertinente[2] !

5 **SCAPIN.** Monsieur, votre serviteur.

ARGANTE. Bonjour, Scapin.

SCAPIN. Vous rêvez à l'affaire de votre fils ?

ARGANTE. Je t'avoue que cela me donne un furieux chagrin[3].

SCAPIN. Monsieur, la vie est mêlée de traverses[4]. Il est bon
10 de s'y tenir sans cesse préparé ; et j'ai ouï dire, il y a long-temps, une parole d'un ancien que j'ai toujours retenue.

ARGANTE. Quoi ?

SCAPIN. Que, pour peu qu'un père de famille ait été absent de chez lui, il doit promener son esprit sur tous les fâcheux
15 accidents que son retour peut rencontrer : se figurer sa maison brûlée, son argent dérobé, sa femme morte, son fils estropié, sa fille subornée[5] ; et ce qu'il trouve qu'il ne lui est point arrivé, l'imputer à bonne fortune. Pour moi, j'ai pratiqué toujours cette leçon dans ma petite philosophie, et je ne suis jamais
20 revenu au logis que je ne me sois tenu prêt[6] à la colère de mes maîtres, aux réprimandes, aux injures, aux coups de pied au cul, aux bastonnades, aux étrivières[7], et ce qui a manqué m'arriver, j'en ai rendu grâces à mon bon destin.

ARGANTE. Voilà qui est bien ; mais ce mariage impertinent,
25 qui trouble celui que nous voulons faire, est une chose que

---

1. **Considération** : réflexion.
2. **Impertinente** : qui n'agit pas de manière pertinente, qui fait n'importe quoi.
3. **Chagrin** : mauvaise humeur.
4. **Traverses** : obstacles.
5. **Subornée** : séduite.
6. **Que je ne me sois tenu prêt** : sans m'être tenu prêt.
7. **Étrivières** : courroies des étriers sur un cheval ; ici, fouet.

je ne puis souffrir, et je viens de consulter des avocats pour le faire casser.

SCAPIN. Ma foi, Monsieur, si vous m'en croyez, vous tâcherez par quelque autre voie d'accommoder l'affaire. 30 Vous savez ce que c'est que les procès en ce pays-ci, et vous allez vous enfoncer dans d'étranges épines.

ARGANTE. Tu as raison, je le vois bien. Mais quelle autre voie ?

SCAPIN. Je pense que j'en ai trouvé une. La compassion que m'a donnée tantôt votre chagrin m'a obligé à chercher 35 dans ma tête quelque moyen pour vous tirer d'inquiétude : car je ne saurais voir d'honnêtes pères chagrinés par leurs enfants que[1] cela ne m'émeuve, et de tout temps je me suis senti pour votre personne une inclination particulière.

ARGANTE. Je te suis obligé.

40 **SCAPIN.** J'ai donc été trouver le frère de cette fille qui a été épousée. C'est un de ces braves de profession[2], de ces gens qui sont tous coups d'épée[3], qui ne parlent que d'échiner[4], et ne font non plus de conscience de tuer un homme que d'avaler un verre de vin. Je l'ai mis sur ce mariage, lui ai fait voir quelle 45 facilité offrait[5] la raison de la violence pour le faire casser, vos prérogatives du nom de père[6], et l'appui que vous donneraient auprès de la justice et votre droit, et votre argent, et vos amis. Enfin, je l'ai tant tourné de tous les côtés qu'il a prêté l'oreille aux propositions que je lui ai faites d'ajuster l'affaire 50 pour quelque somme, et il donnera son consentement à rompre le mariage, pourvu que vous lui donniez de l'argent.

ARGANTE. Et qu'a-t-il demandé ?

SCAPIN. Oh ! d'abord, des choses par-dessus les maisons.

---

1. **Que** : sans que.
2. **Braves de profession** : soldats mercenaires.
3. **Tous coups d'épée** : on dirait aujourd'hui « tout coups d'épée » (tout est ici adverbe).
4. **Échiner** : briser l'échine, tuer.
5. **Quelle facilité offrait...** : combien il était facile de faire casser ce mariage si l'on invoquait le fait qu'il a été obtenu par la violence.
6. **Vos prérogatives du nom de père** : les droits que vous donne le titre de père.

ARGANTE. Et quoi ?

55 **SCAPIN.** Des choses extravagantes.

ARGANTE. Mais encore ?

SCAPIN. Il ne parlait pas moins que de cinq ou six cents pistoles.

ARGANTE. Cinq ou six cents fièvres quartaines[1] qui le puis-
60 sent serrer[2] ! Se moque-t-il des gens ?

SCAPIN. C'est ce que je lui ai dit. J'ai rejeté bien loin de pareilles propositions, et je lui ai bien fait entendre que vous n'étiez point une dupe pour vous demander des cinq ou six cents pistoles. Enfin, après plusieurs discours, voici où
65 s'est réduit le résultat de notre conférence. « Nous voilà au temps, m'a-t-il dit, que je dois partir pour l'armée. Je suis après à[3] m'équiper, et le besoin que j'ai de quelque argent me fait consentir malgré moi à ce qu'on me propose. Il me faut un cheval de service[4] et je n'en saurais avoir un qui soit
70 tant soit peu raisonnable[5] à moins de soixante pistoles. »

ARGANTE. Hé bien ! pour soixante pistoles je les donne.

SCAPIN. « Il faudra le harnais et les pistolets, et cela ira bien à vingt pistoles encore. »

ARGANTE. Vingt pistoles et soixante, ce serait quatre-vingts.

75 **SCAPIN.** Justement.

ARGANTE. C'est beaucoup ; mais soit, je consens à cela.

SCAPIN. « Il me faut aussi un cheval pour monter mon valet, qui coûtera bien trente pistoles. »

ARGANTE. Comment, diantre ! Qu'il se promène, il n'aura
80 rien du tout !

SCAPIN. Monsieur !

ARGANTE. Non : c'est un impertinent.

---

1. Quartaines : dont les accès reviennent tous les quatre jours.
2. Serrer : étouffer.
3. Après à : occupé à.
4. Cheval de service : cheval propre au service de la guerre.
5. Raisonnable : convenable.

SCAPIN. Voulez-vous que son valet aille à pied ?

ARGANTE. Qu'il aille comme il lui plaira, et le maître aussi !

85 **SCAPIN.** Mon Dieu, Monsieur, ne vous arrêtez point à peu de chose. N'allez point plaider, je vous prie, et donnez tout pour vous sauver des mains de la justice.

ARGANTE. Hé bien ! soit, je me résous à donner encore ces trente pistoles.

90 **SCAPIN.** « Il me faut encore, a-t-il dit, un mulet pour porter... »

ARGANTE. Oh ! qu'il aille au diable avec son mulet ! C'en est trop, et nous irons devant les juges.

SCAPIN. De grâce, Monsieur...

95 **ARGANTE.** Non, je n'en ferai rien.

SCAPIN. Monsieur, un petit mulet.

ARGANTE. Je ne lui donnerais seulement pas un âne.

SCAPIN. Considérez...

ARGANTE. Non, j'aime mieux plaider.

100 **SCAPIN.** Eh ! Monsieur, de quoi parlez-vous là, et à quoi vous résolvez-vous ? Jetez les yeux sur les détours de la justice. Voyez combien d'appels[1] et de degrés de juridiction, combien de procédures embarrassantes, combien d'animaux ravissants[2] par les griffes desquels il vous faudra
105 passer : sergents[3], procureurs, avocats, greffiers, substituts[4], rapporteurs[5], juges et leurs clercs[6]. Il n'y a pas un de tous ces gens-là qui, pour la moindre chose, ne soit capable de donner un soufflet[7] au meilleur droit du monde. Un sergent

---

1. **Appels :** recours à une juridiction de degré supérieur pour faire réviser un jugement.
2. **Ravissants :** rapaces.
3. **Sergents :** huissiers.
4. **Substituts :** magistrats chargés de remplacer d'autres magistrats.
5. **Rapporteurs :** magistrats chargés d'établir le rapport d'un procès.
6. **Clercs :** secrétaires.
7. **Donner un soufflet à :** donner une gifle à, porter atteinte à.

baillera[1] de faux exploits[2], sur quoi vous serez condamné
110 sans que vous le sachiez. Votre procureur s'entendra avec
votre partie[3] et vous vendra à beaux deniers comptants[4].
Votre avocat, gagné de même, ne se trouvera point
lorsqu'on plaidera votre cause, ou dira des raisons qui ne
feront que battre la campagne[5] et n'iront point au fait. Le
115 greffier délivrera par contumace[6] des sentences et arrêts
contre vous. Le clerc du rapporteur soustraira des pièces[7],
ou le rapporteur même ne dira pas ce qu'il a vu. Et quand,
par les plus grandes précautions du monde, vous aurez paré
tout cela, vous serez ébahi que vos juges auront été sollici-
120 tés contre vous ou par des gens dévots ou par des femmes
qu'ils aimeront. Eh ! Monsieur, si vous le pouvez, sauvez-
vous de cet enfer-là ! C'est être damné dès ce monde, que
d'avoir à plaider, et la seule pensée d'un procès serait capable de me faire fuir jusqu'aux Indes.

125 **ARGANTE.** À combien est-ce qu'il fait monter le mulet ?

SCAPIN. Monsieur, pour le mulet, pour son cheval et celui
de son homme, pour le harnais et les pistolets, et pour payer
quelque petite chose qu'il doit à son hôtesse, il demande en
tout deux cents pistoles.

130 **ARGANTE.** Deux cents pistoles ?

SCAPIN. Oui.

ARGANTE, *se promenant en colère le long du théâtre*[8]. Allons,
allons, nous plaiderons.

SCAPIN. Faites réflexion…

135 **ARGANTE.** Je plaiderai…

---

1. **Baillera :** donnera.
2. **Exploits :** convocations.
3. **Partie :** adversaire.
4. **À beaux deniers comptants :** pour de l'argent.
5. **Qui ne feront que battre la campagne :** qui n'auront rien à voir avec le
   sujet.
6. **Par contumace :** en votre absence.
7. **Des pièces :** des pièces du dossier.
8. **Théâtre :** scène.

SCAPIN. Ne vous allez point jeter…

ARGANTE. Je veux plaider.

SCAPIN. Mais, pour plaider, il vous faudra de l'argent. Il vous en faudra pour l'exploit. Il vous en faudra pour le
140 contrôle. Il vous en faudra pour la procuration[1], pour la présentation, conseils, productions et journées du procureur. Il vous en faudra pour les consultations et plaidoiries des avocats, pour le droit de retirer le sac[2] et pour les grosses[3] d'écritures. Il vous en faudra pour le
145 rapport des substituts, pour les épices de conclusion[4], pour l'enregistrement du greffier, façon d'appointement[5], sentences et arrêts, contrôles, signatures et expéditions[6] de leurs clercs, sans parler de tous les présents qu'il vous faudra faire. Donnez cet argent-là à cet homme-ci, vous
150 voilà hors d'affaire.

ARGANTE. Comment ! deux cents pistoles !

SCAPIN. Oui, vous y gagnerez. J'ai fait un petit calcul en moi-même de tous les frais de la justice, et j'ai trouvé qu'en donnant deux cents pistoles à votre homme vous en aurez
155 de reste pour le moins cinquante, sans compter les soins, les pas et les chagrins que vous vous épargnerez. Quand il n'y aurait à essuyer que les sottises que disent devant tout le monde de méchants plaisants d'avocats, j'aimerais mieux encore donner trois cents pistoles que de plaider.

160 **ARGANTE.** Je me moque de cela, et je défie les avocats de rien dire de moi.

---

1. **Exploit, contrôle, procuration, etc.** : les différentes étapes d'un procès.
2. **Retirer le sac** : les pièces du procès sont classées dans un sac ; on retire ce sac lorsque le procès est terminé.
3. **Grosses** : copies.
4. **Épices de conclusion** : les juges recevaient à l'origine un cadeau de celui qui avait gagné son procès ; cette tradition était devenue obligatoire, mais le règlement se faisait en argent et non plus en nature.
5. **Façon d'appointement** : établissement de jugements préparatoires.
6. **Expéditions** : copies officielles des pièces du procès.

SITUER

Nous avons souvent entendu Scapin vanter ses talents. Le voici à l'œuvre. Saura-t-il, comme il le prétend, obtenir deux cents pistoles uniquement avec de belles paroles ?

RÉFLÉCHIR

STRATÉGIES : deux argumentations successives

1. Quelles sont les étapes de cette scène ?

2. La rencontre avec le « brave de profession » est-elle bien vraisemblable ? N'en rappelle-t-elle pas une autre, tout aussi romanesque ?

3. Dans la deuxième partie de la scène, étudiez le vocabulaire de la justice : quel effet comique l'accumulation des termes techniques produit-elle ? En quoi est-elle à la fois conforme et opposée à l'idée de justice ?

4. Pourquoi Scapin avance-t-il d'abord le chiffre de 500 pistoles ?

SOCIÉTÉ : la mécanique de la corruption

5. Faites le portrait du « brave de profession » ; que demande-t-il pour accepter que le mariage soit rompu ?

6. « Sauvez-vous de cet enfer-là » (l. 121) : relevez les principales critiques que Molière adresse à la justice de son temps. Quel est l'effet comique produit ?

7. À côté de cet « enfer », Scapin n'apparaît-il pas comme un homme honnête – ou presque ? Grâce à quels effets de rythme, de tons, de gestuelle cette scène est-elle comique ?

QUI PARLE ? QUI VOIT ? Scapin porte-parole de Molière ?

8. Comment ce que nous savons du passé de Scapin explique-t-il son excellente connaissance de la justice ? En quoi cette scène complète-t-elle le portrait que l'on peut donner de lui ?

9. Que veut dire Scapin par les mots : « La vie est mêlée de traverses. Il est bon de s'y tenir sans cesse préparé » (l. 9-10) ? Quelle est sa « petite philosophie » ?

10. À quelle partie de sa propre vie Molière pense-t-il peut-être ici ?

MISE EN SCÈNE : deux personnages en un

11. La phrase « Il faudra le harnais et les pistolets, et cela ira bien à vingt pistoles encore » (l. 72-73) est entre guillemets : pourquoi ? Relevez d'autres exemples. Qui parle alors ?

ÉCRIRE

12. Imaginez les réflexions d'Argante pendant que Scapin lui décrit les dangers d'un procès.

SCAPIN. Vous ferez ce qu'il vous plaira, mais, si j'étais que de vous, je fuirais les procès.

ARGANTE. Je ne donnerai point deux cents pistoles.

165 **SCAPIN.** Voici l'homme dont il s'agit.

SCÈNE 6. SYLVESTRE, ARGANTE, SCAPIN.

SYLVESTRE, *déguisé en spadassin*[1]. Scapin, fais-moi connaître un peu cet Argante qui est père d'Octave.

SCAPIN. Pourquoi, Monsieur ?

SYLVESTRE. Je viens d'apprendre qu'il veut me mettre en
5 procès, et faire rompre par justice le mariage de ma sœur.

SCAPIN. Je ne sais pas s'il a cette pensée ; mais il ne veut point consentir aux deux cents pistoles que vous voulez, et il dit que c'est trop.

SYLVESTRE. Par la mort ! par la tête ! par le ventre[2] ! si je le
10 trouve, je le veux échiner[3], dussé-je être roué[4] tout vif.

Argante, pour n'être point vu, se tient,
en tremblant, couvert de Scapin.

SCAPIN. Monsieur, ce père d'Octave a du cœur[5], et peut-être ne vous craindra-t-il point.

15 **SYLVESTRE.** Lui ? lui ? Par le sang ! par la tête ! s'il était là, je lui donnerais tout à l'heure de l'épée dans le ventre. *(Apercevant Argante.)* Qui est cet homme-là ?

SCAPIN. Ce n'est pas lui, Monsieur, ce n'est pas lui.

SYLVESTRE. N'est-ce point quelqu'un de ses amis ?

---

1. **Spadassin :** homme d'épée et, dans certains cas, tueur à gages.
2. **Par la mort ! Par le ventre !** et un peu plus bas, **par le sang ! :** formes abrégées, et donc moins choquantes, des jurons traditionnels des soldats fanfarons « par la mort de Dieu » (d'où « mordieu » et « morbleu »), « par la tête de Dieu » (« têtebleu »), « par le ventre de Dieu » (« ventrebleu »), « par le sang de Dieu » (« palsambleu »).
3. **Échiner :** casser l'échine, les reins, tuer.
4. **Être roué :** être condamné au supplice de la roue, être écartelé.
5. **Du cœur :** du courage.

20 **SCAPIN.** Non, Monsieur, au contraire, c'est son ennemi capital[1].

SYLVESTRE. Son ennemi capital ?

SCAPIN. Oui.

SYLVESTRE. Ah ! parbleu ! j'en suis ravi. *(À Argante.)* Vous êtes ennemi, Monsieur, de ce faquin[2] d'Argante, eh ?

25 **SCAPIN.** Oui, oui, je vous en réponds.

SYLVESTRE, *secouant la main d'Argante.* Touchez là[3]. Touchez. Je vous donne ma parole, et vous jure sur mon honneur, par l'épée que je porte, par tous les serments que je saurais faire, qu'avant la fin du jour je vous déferai de ce
30 maraud fieffé[4], de ce faquin d'Argante. Reposez-vous sur moi[5].

SCAPIN. Monsieur, les violences en ce pays-ci ne sont guère souffertes[6].

SYLVESTRE. Je me moque de tout et je n'ai rien à perdre.

SCAPIN. Il se tiendra sur ses gardes assurément ; et il a des
35 parents, des amis et des domestiques dont il se fera un secours contre votre ressentiment.

SYLVESTRE. C'est ce que je demande, morbleu ! c'est ce que je demande. *(Il met l'épée à la main, et pousse[7] de tous les côtés, comme s'il y avait plusieurs personnes devant lui.)* Ah !
40 tête ! ah ! ventre ! que ne le trouvé-je à cette heure avec tout son secours ! Que ne paraît-il à mes yeux au milieu de trente personnes ! Que ne les vois-je fondre sur moi les armes à la main ! Comment, marauds ! vous avez la hardiesse de vous attaquer à moi ! Allons, morbleu, tue ! Point de quartier[8].

---

1. **Capital** : mortel.
2. **Faquin** : vaurien.
3. **Touchez là** : donnez-moi la main pour que nous scellions notre accord.
4. **Maraud fieffé** : parfait coquin.
5. **Reposez-vous sur moi** : faites-moi confiance.
6. **Souffertes** : permises.
7. **Pousse** (et plus bas : **poussons**) : pousser (une botte), c'est donner un coup d'épée.
8. **Point de quartier** : point de pitié.

45 *(Poussant de tous les côtés, comme s'il avait plusieurs personnes à combattre.)* Donnons[1]. Ferme. Poussons. Bon pied, bon œil. Ah ! coquins ! ah ! canaille ! vous en voulez par là, je vous en ferai tâter votre soûl. Soutenez[2], marauds, soutenez. Allons. À cette botte. À cette autre. À celle-ci. À celle-là. *(Se* 50 *tournant du côté d'Argante et de Scapin.)* Comment ! vous reculez ? Pied ferme, morbleu ! pied ferme !

SCAPIN. Eh ! eh ! eh ! Monsieur, nous n'en sommes pas.

SYLVESTRE. Voilà qui vous apprendra à vous oser jouer à moi[3]. *(Il s'éloigne.)*

55 **SCAPIN.** Hé bien ! vous voyez combien de personnes tuées pour deux cents pistoles. Oh sus[4] ! je vous souhaite une bonne fortune[5].

ARGANTE, *tout tremblant.* Scapin !

SCAPIN. Plaît-il ?

60 **ARGANTE.** Je me résous à donner les deux cents pistoles.

SCAPIN. J'en suis ravi pour l'amour de vous.

ARGANTE. Allons le trouver, je les ai sur moi.

SCAPIN. Vous n'avez qu'à me les donner. Il ne faut pas, pour votre honneur, que vous paraissiez là, après avoir passé 65 ici pour autre que ce que vous êtes ; et, de plus, je craindrais qu'en vous faisant connaître[6], il n'allât s'aviser de vous en demander davantage.

ARGANTE. Oui ; mais j'aurais été bien aise de voir comme[7] je donne mon argent.

70 **SCAPIN.** Est-ce que vous vous défiez de moi ?

ARGANTE. Non pas, mais…

––––––––––––––––––––

1. **Donnons** : donnons l'assaut.
2. **Soutenez** : soutenez l'attaque.
3. **À vous oser jouer à moi** : à oser vous attaquer à moi.
4. **Sus** : debout !
5. **Fortune** : chance.
6. **Qu'en vous faisant connaître** : que, si vous vous faisiez connaître.
7. **Comme** : comment.

SITUER

L'éloquence n'a pas suffi : Scapin n'a pas réussi à convaincre Argante de céder les deux cents pistoles. Il organise alors l'arrivée du « brave de profession », le spadassin, qui n'est autre que Sylvestre.

RÉFLÉCHIR

STRUCTURE : la première scène d'action

1. Quelles sont les trois parties de cette scène ? Où se situe l'action ?

2. « Voici l'homme dont il s'agit » (fin de la scène 5) : faut-il beaucoup de temps au spectateur pour comprendre de qui il s'agit ?

PERSONNAGES : une scène révélatrice

3. Face à Sylvestre, Argante montre-t-il qu'il a « du cœur », comme le prétend Scapin ? Sylvestre sorti de scène, sur quel ton Argante dit-il « Scapin » (l. 58) ? Quels sont ses sentiments ? Pourquoi fait-il rire ?

4. « Je suis un fourbe, ou je suis honnête homme », dit Scapin (l. 72) : les choses sont-elles si simples ? Relevez des phrases où, une fois de plus, Scapin ment et pourtant dit la vérité.

REGISTRES ET TONALITÉS : l'évolution du comique

5. Sylvestre jure « sur [son] honneur » et « par l'épée » qu'il porte : relevez dans son vocabulaire et dans les types de phrases ce qui est caricatural et exagéré. Qui pourrait parler ainsi ? Comment se nomme le type de comique employé ici ?

6. « Allons le trouver, je les ai sur moi » (l. 62) : que signifie cette phrase ? Que révèle-t-elle sur les sentiments d'Argante à l'égard de Scapin ?

7. Comment le comique, plutôt comique de farce au début de la scène, devient-il beaucoup plus subtil dans la dernière partie ?

DRAMATURGIE : le théâtre dans le théâtre

8. Chacun des trois personnages est caché ou joue un rôle : montrez-le. Qui est seul à ne pas rire ?

9. « Oui, oui, je vous en réponds » (l. 25) : que veut dire Scapin ? De qui les deux valets se moquent-ils ? Se bornent-ils à défendre les intérêts d'Octave ? Pourquoi peut-on dire qu'ils s'amusent aussi ?

10. « Eh, eh, eh ! Monsieur, nous n'en sommes pas » (l. 52). À quel jeu Sylvestre s'amuse-t-il – consciemment ou inconsciemment – aux dépens de Scapin ?

ÉCRIRE

11. Sorti de scène, Sylvestre raconte à un ami la façon dont Scapin exploite la peur d'Argante pour lui soutirer les pistoles.

SCAPIN. Parbleu, Monsieur, je suis un fourbe ou je suis un honnête homme ; c'est l'un des deux. Est-ce que je voudrais vous tromper, et que dans tout ceci j'ai d'autre intérêt que le
75 vôtre et celui de mon maître, à qui vous voulez vous allier ? Si je vous suis suspect, je ne me mêle plus de rien, et vous n'avez qu'à chercher dès cette heure qui accommodera vos affaires.

ARGANTE. Tiens, donc.

SCAPIN. Non, Monsieur, ne me confiez point votre argent.
80 Je serai bien aise que vous vous serviez de quelque autre[1].

ARGANTE. Mon Dieu, tiens.

SCAPIN. Non, vous dis-je, ne vous fiez point à moi. Que sait-on si je ne veux point attraper votre argent ?

ARGANTE. Tiens, te dis-je, ne me fais point contester[2]
85 davantage. Mais songe à bien prendre tes sûretés[3] avec lui.

SCAPIN. Laissez-moi faire, il n'a pas affaire à un sot.

ARGANTE. Je vais t'attendre chez moi.

SCAPIN. Je ne manquerai pas d'y aller. *(Seul.)* Et un[4]. Je n'ai qu'à chercher l'autre. Ah ! ma foi, le voici. Il semble que
90 le Ciel, l'un après l'autre, les amène dans mes filets.

Scène 7. Géronte, Scapin.

SCAPIN, *feignant de ne pas voir Géronte.* Ô Ciel ! ô disgrâce[5] imprévue ! ô misérable père ! Pauvre Géronte, que feras-tu ?

GÉRONTE, *à part.* Que dit-il là de moi, avec ce visage affligé ?

SCAPIN, *même jeu.* N'y a-t-il personne qui puisse me dire
5 où est le seigneur Géronte ?

GÉRONTE. Qu'y a-t-il, Scapin ?

---

1. Quelque autre : quelqu'un d'autre que moi.
2. Contester : discuter.
3. Sûretés : précautions.
4. Et un : et d'un.
5. Disgrâce : malheur.

SCAPIN, *courant sur le théâtre, sans vouloir entendre ni voir Géronte.* Où pourrai-je le rencontrer pour lui dire cette infortune ?

10   **GÉRONTE,** *courant après Scapin.* Qu'est-ce que c'est donc ?

SCAPIN, *même jeu.* En vain je cours de tous côtés pour le pouvoir trouver.

GÉRONTE. Me voici.

SCAPIN, *même jeu.* Il faut qu'il soit caché en quelque
15   endroit qu'on ne puisse point deviner.

GÉRONTE, *arrêtant Scapin.* Holà ! es-tu aveugle, que tu ne me vois pas ?

SCAPIN. Ah ! Monsieur, il n'y a pas moyen de vous rencontrer.

GÉRONTE. Il y a une heure que je suis devant toi. Qu'est-
20   ce que c'est donc qu'il y a ?

SCAPIN. Monsieur…

GÉRONTE. Quoi ?

SCAPIN. Monsieur votre fils…

GÉRONTE. Hé bien ! mon fils…

25   **SCAPIN.** Est tombé dans une disgrâce la plus étrange du monde.

GÉRONTE. Et quelle[1] ?

SCAPIN. Je l'ai trouvé tantôt, tout triste de je ne sais quoi que vous lui avez dit, où vous m'avez mêlé assez mal à
30   propos, et, cherchant à divertir[2] cette tristesse, nous nous sommes allés promener sur le port. Là, entre autres plusieurs choses, nous avons arrêté nos yeux sur une galère turque assez bien équipée. Un jeune Turc de bonne mine nous a invités d'y entrer et nous a présenté la main. Nous y avons passé, il
35   nous a fait mille civilités, nous a donné la collation[3], où nous avons mangé des fruits les plus excellents qui se puissent voir, et bu du vin que nous avons trouvé le meilleur du monde.

----

1. Et quelle ? : et laquelle ?
2. Divertir : écarter.
3. Nous a donné la collation : nous a offert un repas léger.

GÉRONTE. Qu'y a-t-il de si affligeant à tout cela ?

SCAPIN. Attendez, Monsieur, nous y voici. Pendant que
40 nous mangions, il a fait mettre la galère en mer, et, se voyant
éloigné du port, il m'a fait mettre dans un esquif, et m'envoie
vous dire que, si vous ne lui envoyez par moi tout à l'heure[1]
cinq cents écus, il va nous emmener votre fils en Alger.

GÉRONTE. Comment ! diantre, cinq cents écus !

45 **SCAPIN.** Oui, Monsieur ; et, de plus, il ne m'a donné pour
cela que deux heures.

GÉRONTE. Ah ! le pendard de Turc ! m'assassiner de la façon[2].

SCAPIN. C'est à vous, Monsieur, d'aviser promptement aux
moyens de sauver des fers un fils que vous aimez avec tant de
50 tendresse.

GÉRONTE. Que diable allait-il faire dans cette galère ?

SCAPIN. Il ne songeait pas à ce qui est arrivé.

GÉRONTE. Va-t'en, Scapin, va-t'en dire à ce Turc que je
vais envoyer la justice après lui.

55 **SCAPIN.** La justice en pleine mer ! Vous moquez-vous des
gens ?

GÉRONTE. Que diable allait-il faire dans cette galère ?

SCAPIN. Une méchante destinée conduit quelquefois les
personnes.

60 **GÉRONTE.** Il faut, Scapin, il faut que tu fasses ici l'action
d'un serviteur fidèle.

SCAPIN. Quoi, Monsieur ?

GÉRONTE. Que tu ailles dire à ce Turc qu'il me renvoie
mon fils, et que tu te mettes à sa place jusqu'à ce que j'aie
65 amassé la somme qu'il demande.

SCAPIN. Eh ! Monsieur, songez-vous à ce que vous dites ? et
vous figurez-vous que ce Turc ait si peu de sens que d'aller
recevoir un misérable comme moi à la place de votre fils ?

---

1. Tout à l'heure : immédiatement.
2. De la façon : de cette façon, de la sorte.

GÉRONTE. Que diable allait-il faire dans cette galère ?

70 **SCAPIN.** Il ne devinait pas ce malheur. Songez, Monsieur, qu'il ne m'a donné que deux heures.

GÉRONTE. Tu dis qu'il demande…

SCAPIN. Cinq cents écus.

GÉRONTE. Cinq cents écus ! N'a-t-il point de conscience ?

75 **SCAPIN.** Vraiment oui, de la conscience à un Turc !

GÉRONTE. Sait-il bien ce que c'est que cinq cents écus ?

SCAPIN. Oui, Monsieur, il sait que c'est mille cinq cents livres.

GÉRONTE. Croit-il, le traître, que mille cinq cents livres se trouvent dans le pas d'un cheval ?

80 **SCAPIN.** Ce sont des gens qui n'entendent point de raison.

GÉRONTE. Mais que diable allait-il faire à cette galère[1] ?

SCAPIN. Il est vrai ; mais quoi ! on ne prévoyait pas les choses. De grâce, Monsieur, dépêchez.

GÉRONTE. Tiens, voilà la clef de mon armoire.

85 **SCAPIN.** Bon.

GÉRONTE. Tu l'ouvriras.

SCAPIN. Fort bien.

GÉRONTE. Tu trouveras une grosse clef du côté gauche, qui est celle de mon grenier.

90 **SCAPIN.** Oui.

GÉRONTE. Tu iras prendre toutes les hardes[2] qui sont dans cette grande manne[3], et tu les vendras aux fripiers pour aller racheter mon fils.

---

1. **À cette galère :** dans cette galère.
2. **Hardes :** habits, certainement usés, mais le mot *hardes* n'a pas au XVIIᵉ siècle le sens péjoratif qu'il a aujourd'hui.
3. **Manne :** panier.

SCAPIN, *en lui rendant la clef.* Eh ! Monsieur, rêvez-vous ?
95 Je n'aurais pas cent francs de tout ce que vous dites ; et, de plus, vous savez le peu de temps qu'on m'a donné.

GÉRONTE. Mais que diable allait-il faire dans cette galère ?

SCAPIN. Oh ! que de paroles perdues ! Laissez là cette galère, et songez que le temps presse, et que vous courez risque de
100 perdre votre fils. Hélas ! mon pauvre maître, peut-être que je ne te verrai de ma vie, et qu'à l'heure que je parle, on t'emmène esclave en Alger ! Mais le Ciel me sera témoin que j'ai fait pour toi tout ce que j'ai pu, et que si tu manques à être racheté, il n'en faut accuser que le peu d'amitié[1] d'un père.

105 **GÉRONTE.** Attends, Scapin, je m'en vais quérir cette somme.

SCAPIN. Dépêchez-vous donc vite, Monsieur, je tremble que l'heure ne sonne.

GÉRONTE. N'est-ce pas quatre cents écus que tu dis ?

SCAPIN. Non, cinq cents écus.

110 **GÉRONTE.** Cinq cents écus ?

SCAPIN. Oui.

GÉRONTE. Que diable allait-il faire à cette galère ?

SCAPIN. Vous avez raison. Mais hâtez-vous.

GÉRONTE. N'y avait-il point d'autre promenade ?

115 **SCAPIN.** Cela est vrai. Mais faites promptement.

GÉRONTE. Ah ! maudite galère !

SCAPIN, *à part.* Cette galère lui tient au cœur.

GÉRONTE. Tiens, Scapin, je ne me souvenais pas que je viens justement de recevoir cette somme en or, et je ne
120 croyais pas qu'elle dût m'être sitôt ravie. (*Il lui présente sa bourse, qu'il ne laisse pourtant pas aller, et, dans ses transports, il fait aller son bras, de côté et d'autre, et Scapin le sien pour avoir la bourse.*) Tiens ! Va-t'en racheter mon fils.

---

1. **Amitié :** affection.

« Et un ! », vient de s'écrier Scapin après avoir réussi à soutirer à Argante deux cents pistoles. Arrivera-t-il à obtenir cinq cents écus de Géronte ?

STRUCTURE : la progression

1. Le récit de la galère n'en rappelle-t-il pas d'autres entendus dans l'acte I ? Est-il plus vraisemblable ? En quoi est-il encore plus romanesque que les précédents ?

2. Comment les plus longues répliques de Géronte marquent-elles chaque fois le début d'un nouveau mouvement dans la scène ?

REGISTRES ET TONALITÉS : un dialogue comique

3. De quel type de comique relèvent les didascalies du début de la scène ?

4. Combien de fois Géronte répète-t-il : « Que diable allait-il faire dans cette galère ? » ? D'où naît le rire ?

STRATÉGIES : l'argent et le cœur

5. « Je vais envoyer la justice » (l. 53-54) : en quoi cette première réaction de Géronte rappelle-t-elle celle d'Argante dans la scène 5 de l'acte II ? En quoi s'en distingue-t-elle, et pourquoi fait-elle rire ?

6. « Que diable allait-il faire dans cette galère ? » : cette phrase doit-elle toujours être prononcée sur le même ton ? À quelles répliques succède-t-elle ?

PERSONNAGES : le cœur et l'argent

7. Pourquoi l'exclamation de Géronte « Comment, diantre ! Cinq cents écus ? » (l. 44) est-elle profondément choquante ? Quelle autre réaction aurait-on attendue ? L'excès de ces réactions n'est-il cependant pas comique ? Pourquoi ?

8. « C'est la douleur qui me trouble l'esprit » (l. 148) : quelle est exactement la cause de cette douleur ?

9. À quel moment et par quel moyen Scapin parvient-il à rappeler à ses devoirs de père ce Géronte pour qui l'expression « amour paternel » ne signifie pas grand-chose? En quoi ses déclarations solennelles font-elles écho à la réplique qu'il a prononcée à la fin de la scène 4 de l'acte II ?

MISE EN SCÈNE : Géronte ou le prestidigitateur maladroit

10. Comment, dans la dernière partie de la scène, les gestes prennent-ils de plus en plus de place au côté du dialogue ? Quels sont les effets comiques mis en œuvre ?

SCAPIN, *tendant la main.* Oui, Monsieur.

125 **GÉRONTE,** *retenant la bourse qu'il fait semblant de vouloir donner à Scapin.* Mais dis à ce Turc que c'est un scélérat.

SCAPIN, *tendant toujours la main.* Oui.

GÉRONTE, *même jeu.* Un infâme.

SCAPIN. Oui.

130 **GÉRONTE,** *même jeu.* Un homme sans foi, un voleur.

SCAPIN. Laissez-moi faire.

GÉRONTE, *même jeu.* Qu'il me tire cinq cents écus contre toute sorte de droit.

SCAPIN. Oui.

135 **GÉRONTE,** *même jeu.* Que je ne les lui donne ni à la mort ni à la vie[1].

SCAPIN. Fort bien.

GÉRONTE. Et que, si jamais je l'attrape, je saurai me venger de lui.

140 **SCAPIN.** Oui.

GÉRONTE, *remettant sa bourse dans sa poche et s'en allant.* Va, va vite requérir[2] mon fils.

SCAPIN, *allant après lui.* Holà ! Monsieur.

GÉRONTE. Quoi ?

145 **SCAPIN.** Où est donc cet argent ?

GÉRONTE. Ne te l'ai-je pas donné ?

SCAPIN. Non, vraiment, vous l'avez remis dans votre poche.

GÉRONTE. Ah ! c'est la douleur qui me trouble l'esprit.

SCAPIN. Je le vois bien.

150 **GÉRONTE.** Que diable allait-il faire dans cette galère ? Ah ! maudite galère ! Traître de Turc à tous les diables !

---

1. **Ni à la mort ni à la vie :** ni mort, ni vivant.
2. **Requérir :** chercher.

SCAPIN, *seul.* Il ne peut digérer les cinq cents écus que je lui arrache ; mais il n'est pas quitte envers moi, et je veux qu'il me paie en une autre monnaie l'imposture qu'il m'a faite
155 auprès de son fils.

SCÈNE 8. OCTAVE, LÉANDRE, SCAPIN.

OCTAVE. Hé bien ! Scapin, as-tu réussi pour moi dans ton entreprise ?

LÉANDRE. As-tu fait quelque chose pour tirer mon amour de la peine où il est ?

5 **SCAPIN,** *à Octave.* Voilà deux cents pistoles que j'ai tirées de votre père.

OCTAVE. Ah ! que tu me donnes de joie !

SCAPIN, *à Léandre.* Pour vous je n'ai pu faire rien.

LÉANDRE, *veut s'en aller.* Il faut donc que j'aille mourir ; et
10 je n'ai que faire de vivre, si Zerbinette m'est ôtée.

SCAPIN. Holà ! holà ! tout doucement. Comme diantre vous allez vite !

LÉANDRE, *se retourne.* Que veux-tu que je devienne ?

SCAPIN. Allez, j'ai votre affaire ici.

15 **LÉANDRE,** *revient.* Ah ! tu me redonnes la vie.

SCAPIN. Mais à condition que vous me permettrez, à moi, une petite vengeance contre votre père pour le tour qu'il m'a fait.

LÉANDRE. Tout ce que tu voudras.

SCAPIN. Vous me le promettez devant témoin ?

20 **LÉANDRE.** Oui.

SCAPIN. Tenez, voilà cinq cents écus.

LÉANDRE. Allons-en[1] promptement acheter celle que j'adore.

---

1. **En** : avec cet argent.

Dans l'acte II, le valet Scapin, par des fourberies, réussit à soutirer aux pères Argante et Géronte les sommes dont les fils ont besoin pour se tirer d'affaire.

LE JEU AVEC LE FEU

1. Quelles manœuvres Scapin a-t-il successivement imaginées ? En quoi sont-elles des « fourberies » ?

2. En un sens, la pièce n'est-elle pas terminée ? Si prolongement il y a, dans quelle direction peut-il se dessiner ?

SCAPIN ET SES MAÎTRES

3. Placé entre pères et fils et bien placé pour les connaître, comment Scapin juge-t-il ses maîtres ?

4. Argante n'est-il pas différent de Géronte ? Pourquoi, alors qu'ils se trouvent dans des situations voisines, ces deux vieillards (au fait, quel âge faut-il leur donner ?) ont-ils des réactions distinctes ?

5. Les dommages subis par les pères sont d'abord d'ordre financier. Mais ne sont-ils pas aussi d'un autre ordre ?

6. Les filles ont-elles joué un rôle dans cette histoire ? Ne sont-elles que des instruments ou sent-on chez elles quelque chose qui ressemblerait à une émancipation ? Qu'en conclure ?

ROMAN ET THÉÂTRE DANS LE THÉÂTRE

7. Les récits sont nombreux : retrouvez-les. Pourquoi peut-on dire que ces récits sont romanesques ?

8. À plusieurs reprises les personnages jouent un rôle autre que le leur : citez quelques exemples. Qui organise ces mises en scène ? Quels effets cherche-t-il à obtenir par là ?

9. Comment Molière réussit-il dans cet acte le mélange entre un comique de farce et un comique beaucoup plus fin ?

ACTE III

SCÈNE PREMIÈRE. ZERBINETTE, HYACINTE, SCAPIN, SYLVESTRE.

SYLVESTRE. Oui, vos amants ont arrêté[1] entre eux que vous fussiez ensemble, et nous nous acquittons de l'ordre qu'ils nous ont donné.

HYACINTE, *à Zerbinette.* Un tel ordre n'a rien qui ne me
5 soit fort agréable. Je reçois avec joie une compagne de la sorte, et il ne tiendra pas à moi que l'amitié qui est entre les personnes que nous aimons ne se répande entre nous deux.

ZERBINETTE. J'accepte la proposition, et ne suis point personne à reculer lorsqu'on m'attaque d'amitié[2].

10 **SCAPIN.** Et lorsque c'est d'amour qu'on vous attaque ?

ZERBINETTE. Pour l'amour, c'est une autre chose : on y court un peu plus de risque, et je n'y suis pas si hardie.

SCAPIN. Vous l'êtes, que je crois, contre mon maître maintenant ; et ce qu'il vient de faire pour vous doit vous donner
15 du cœur pour répondre comme il faut à sa passion.

ZERBINETTE. Je ne m'y fie encore que de la bonne sorte[3], et ce n'est pas assez pour m'assurer[4] entièrement que ce qu'il vient de faire[5]. J'ai l'humeur enjouée, et sans cesse je ris ; mais, tout en riant, je suis sérieuse sur certains
20 chapitres ; et ton maître s'abusera[6] s'il croit qu'il lui suffise de m'avoir achetée pour me voir toute à lui. Il doit lui en coûter autre chose que de l'argent ; et, pour répondre à son amour de la manière qu'il souhaite, il me faut un don

---

1. **Arrêté :** décidé.
2. Lorsqu'on me propose de nouer des rapports d'amitié.
3. **Je ne m'y fie encore que de la bonne sorte :** je ne me fie à lui que si ses intentions sont honnêtes (c'est-à-dire s'il m'épouse).
4. **M'assurer :** me rassurer.
5. **Ce qu'il vient de faire :** c'est-à-dire en payant ma rançon.
6. **S'abusera :** se trompera.

de sa foi qui soit assaisonné[1] de certaines cérémonies qu'on
25 trouve nécessaires[2].

SCAPIN. C'est là aussi comme il l'entend. Il ne prétend à
vous qu'en tout bien et en tout honneur ; et je n'aurais pas été
homme à me mêler de cette affaire, s'il avait une autre pensée.

ZERBINETTE. C'est ce que je veux croire, puisque vous
30 me le dites ; mais du côté du père, j'y prévois des empêche-
ments.

SCAPIN. Nous trouverons moyen d'accommoder[3] les
choses.

HYACINTE, *à Zerbinette.* La ressemblance de nos destins
35 doit contribuer encore à faire naître notre amitié ; et nous
nous voyons toutes deux dans les mêmes alarmes, toutes
deux exposées à la même infortune.

ZERBINETTE. Vous avez cet avantage, au moins, que vous
savez de qui vous êtes née, et que l'appui de vos parents, que
40 vous pouvez faire connaître, est capable d'ajuster[4] tout, pour
assurer votre bonheur et faire donner un consentement au
mariage qu'on trouve fait. Mais, pour moi, je ne rencontre
aucun secours dans ce que je puis être, et l'on me voit dans
un état qui n'adoucira pas les volontés d'un père qui ne
45 regarde que le bien[5].

HYACINTE. Mais aussi avez-vous cet avantage que l'on ne
tente point par un autre parti[6] celui que vous aimez.

ZERBINETTE. Le changement du cœur d'un amant n'est
pas ce qu'on peut le plus craindre. On se peut naturellement
50 croire assez de mérite pour garder sa conquête ; et ce que je
vois de plus redoutable dans ces sortes d'affaires, c'est la puissance paternelle, auprès de qui[7] tout le mérite ne sert de rien.

---

1. **Assaisonné :** accompagné.
2. Il s'agit, bien sûr, des cérémonies du mariage.
3. **Accommoder :** arranger.
4. **Ajuster :** arranger.
5. **Le bien :** l'argent.
6. **Parti :** jeune fille à marier.
7. **Auprès de qui :** auprès de laquelle.

HYACINTE. Hélas ! pourquoi faut-il que de justes inclinations se trouvent traversées[1] ? La douce chose que d'aimer,
55 lorsque l'on ne voit point d'obstacle à ces aimables chaînes dont deux cœurs se lient ensemble !

SCAPIN. Vous vous moquez[2]. La tranquillité en amour est un calme désagréable. Un bonheur tout uni nous devient ennuyeux ; il faut du haut et du bas dans la vie, et les diffi-
60 cultés qui se mêlent aux choses réveillent les ardeurs, augmentent les plaisirs.

ZERBINETTE. Mon Dieu, Scapin, fais-nous un peu ce récit, qu'on m'a dit qui est si plaisant, du stratagème dont tu t'es avisé pour tirer de l'argent de ton vieillard avare. Tu sais
65 qu'on ne perd point sa peine lorsqu'on me fait un conte, et que je le paie assez bien par la joie qu'on m'y voit prendre.

SCAPIN. Voilà Sylvestre qui s'en acquittera aussi bien que moi. J'ai dans la tête certaine petite vengeance dont je vais goûter le plaisir.

70 **SYLVESTRE.** Pourquoi, de gaieté de cœur, veux-tu chercher à t'attirer de méchantes affaires ?

SCAPIN. Je me plais à tenter des entreprises hasardeuses.

SYLVESTRE. Je te l'ai déjà dit, tu quitterais le dessein que tu as, si tu m'en voulais croire.

75 **SCAPIN.** Oui ; mais c'est moi que j'en croirai.

SYLVESTRE. À quoi diable te vas-tu amuser ?

SCAPIN. De quoi diable te mets-tu en peine ?

SYLVESTRE. C'est que je vois que sans nécessité tu vas courir risque de t'attirer une venue[3] de coups de bâton.

80 **SCAPIN.** Hé bien ! c'est aux dépens de mon dos, et non pas du tien.

---

1. **Traversées** : empêchées.
2. **Vous vous moquez** : vous voulez rire.
3. **Une venue** : une volée.

SYLVESTRE. Il est vrai que tu es maître de tes épaules, et tu en disposeras comme il te plaira.

SCAPIN. Ces sortes de périls ne m'ont jamais arrêté, et je
85 hais ces cœurs pusillanimes[1] qui, pour trop prévoir[2] les suites des choses, n'osent rien entreprendre.

ZERBINETTE, *à Scapin.* Nous aurons besoin de tes soins.

SCAPIN. Allez, je vous irai bientôt rejoindre. Il ne sera pas dit qu'impunément on m'ait mis en état de me trahir moi-
90 même et de découvrir les secrets qu'il était bon qu'on ne sût pas.

SCÈNE 2. GÉRONTE, SCAPIN.

GÉRONTE. Hé bien ! Scapin, comment va l'affaire de mon fils ?

SCAPIN. Votre fils, Monsieur, est en lieu de sûreté ; mais vous courez maintenant, vous, le péril le plus grand du
5 monde, et je voudrais pour beaucoup que vous fussiez dans votre logis.

GÉRONTE. Comment donc ?

SCAPIN. À l'heure que je vous parle, on vous cherche de toutes parts pour vous tuer.

10 **GÉRONTE.** Moi ?

SCAPIN. Oui.

GÉRONTE. Et qui ?

SCAPIN. Le frère de cette personne qu'Octave a épousée. Il croit que le dessein que vous avez de mettre votre fille à la
15 place que tient sa sœur est ce qui pousse le plus fort à faire rompre leur mariage, et, dans cette pensée, il a résolu haute- ment de décharger son désespoir sur vous, et de vous ôter la vie pour venger son honneur. Tous ses amis, gens d'épée comme lui, vous cherchent de tous les côtés et demandent

---

1. **Pusillanimes :** faibles, qui manquent d'audace.
2. **Pour trop prévoir :** parce qu'ils prévoient trop.

SITUER

Scapin a réussi à trouver l'argent qui permettra à Octave et à Léandre de vivre avec les femmes qu'ils aiment. Qui sont donc Hyacinte et Zerbinette ?

RÉFLÉCHIR

STRUCTURE : une ou deux scènes ?

1. Pourquoi les deux parties qui composent cette scène sont-elles à la fois très distinctes et très liées ?

2. Les deux dialogues : qu'est-ce qui distingue la conversation du début de la scène et le dialogue entre les valets Scapin et Sylvestre ? Comment cette différence est-elle soulignée par le changement de rythme ?

STRATÉGIES : soumission et résistance

3. Deux valets et deux femmes sont ici réunis : qu'est-ce qui montre que, dans l'esprit du XVIIᵉ siècle, les uns et les autres sont dans une situation d'infériorité par rapport aux absents ?

4. « Nous trouverons moyen d'accommoder les choses » (l. 32). Pourquoi Scapin est-il aussi évasif lorsqu'il répond à Zerbinette ?

SOCIÉTÉ : le regard des femmes

5. Relevez les expressions qui révèlent le caractère de Zerbinette. En quoi se distingue-t-elle de Hyacinte ?

6. Quel portrait la lucide Zerbinette dessine-t-elle de Léandre ? En quoi le jeune homme ressemble-t-il à son père ?

PERSONNAGES : deux valets, deux philosophies

7. Quand Scapin a-t-il déjà mentionné son projet de « petite vengeance » ? Quels en sont les mobiles officiels ? Doit-on, peut-on en deviner d'autres, plus profonds ?

8. « Je me plais à tenter des entreprises hasardeuses » (l. 72) : les actions de Scapin dans les actes précédents confirment-elles cette affirmation ?

9. « Il est vrai que tu es maître de tes épaules » (l. 82) : quel est le sens de cette remarque de Sylvestre ? N'a-t-elle pas deux valeurs possibles ? Retrouvez d'autres répliques où s'est déjà manifestée l'ambiguïté de ses sentiments à l'égard de Scapin.

ÉCRIRE

10. Imaginez un dialogue dans lequel les jeunes femmes commentent les mises en garde de Sylvestre et la réponse de Scapin.

11. Diriez-vous, comme Scapin : « Il faut du haut et du bas dans la vie » ? Discutez ce principe en une vingtaine de lignes. Vous commenterez l'emploi du singulier (« du haut et du bas » et non « des hauts et des bas ») dans cette formule.

20 de vos nouvelles. J'ai vu même deçà et delà des soldats de sa
compagnie qui interrogent ceux qu'ils trouvent, et occupent
par pelotons toutes les avenues[1] de votre maison. De sorte
que vous ne sauriez aller chez vous, vous ne sauriez faire un
pas ni à droit[2] ni à gauche, que vous ne tombiez dans leurs
25 mains.

GÉRONTE. Que ferai-je, mon pauvre Scapin ?

SCAPIN. Je ne sais pas, Monsieur, et voici une étrange
affaire. Je tremble pour vous depuis les pieds jusqu'à la tête,
et… Attendez. *(Il se retourne, et fait semblant d'aller voir au*
30 *bout du théâtre s'il n'y a personne.)*

GÉRONTE, *en tremblant.* Eh ?

SCAPIN, *en revenant.* Non, non, non, ce n'est rien.

GÉRONTE. Ne saurais-tu trouver quelque moyen pour me
tirer de peine ?

35 **SCAPIN.** J'en imagine bien un ; mais je courrais risque, moi,
de me faire assommer.

GÉRONTE. Eh ! Scapin, montre-toi serviteur zélé. Ne
m'abandonne pas, je te prie.

SCAPIN. Je le veux bien. J'ai une tendresse pour vous qui
40 ne saurait souffrir que je vous laisse sans secours.

GÉRONTE. Tu en seras récompensé, je t'assure ; et je te
promets cet habit-ci, quand je l'aurai un peu usé.

SCAPIN. Attendez. Voici une affaire[3] que je me suis trouvée
fort à propos pour vous sauver. Il faut que vous vous mettiez
45 dans ce sac, et que…

GÉRONTE, *croyant voir quelqu'un.* Ah !

SCAPIN. Non, non, non, non, ce n'est personne. Il faut, dis-
je, que vous vous mettiez là-dedans, et que vous vous gardiez

---

1. Toutes les avenues : tous les accès.
2. À droit : à droite.
3. Une affaire : un objet – ici, un grand sac que Scapin présente à Géronte.

de remuer[1] en aucune façon. Je vous chargerai sur mon dos
50 comme un paquet de quelque chose, et je vous porterai ainsi,
au travers de vos ennemis, jusque dans votre maison, où,
quand nous serons une fois, nous pourrons nous barricader
et envoyer quérir main-forte contre la violence.

GÉRONTE. L'invention est bonne.

55 **SCAPIN.** La meilleure du monde. Vous allez voir. *(À part.)*
Tu me paieras l'imposture.

GÉRONTE. Eh ?

SCAPIN. Je dis que vos ennemis seront bien attrapés.
Mettez-vous bien jusqu'au fond, et surtout prenez garde de
60 ne vous point montrer et de ne branler[2] pas, quelque chose
qui puisse arriver.

GÉRONTE. Laisse-moi faire. Je saurai me tenir…

SCAPIN. Cachez-vous, voici un spadassin qui vous cherche.
(En contrefaisant sa voix.) « Quoi ! jé n'aurai pas l'abantage dé
65 tuer cé Géronte et quelqu'un par charité né m'enseignera pas
où il est ? » *(À Géronte, avec sa voix ordinaire.)* Ne branlez pas.
(Reprenant son ton contrefait.) « Cadédis[3] ! jé lé trouberai, sé
cachât-il au centre dé la terre. » *(À Géronte, avec son ton naturel.)* Ne vous montrez pas. *(Tout le langage gascon est supposé de
70 celui qu'il contrefait, et le reste de lui.)* « Oh ! l'homme au sac. –
Monsieur. – Jé té vaille[4] un louis, et m'enseigne[5] où put être
Géronte. – Vous cherchez le seigneur Géronte ? – Oui, mordi !
jé lé cherche. – Et pour quelle affaire, Monsieur ? – Pour quelle
affaire ? – Oui. – Jé beux, cadédis ! lé faire mourir sous les coups
75 dé vâton. – Oh ! Monsieur, les coups de bâton ne se donnent
point à des gens comme lui, et ce n'est pas un homme à être
traité de la sorte. – Qui, cé fat[6] de Géronte, cé maraud, cé
vélître[7] ? – Le seigneur Géronte, Monsieur, n'est ni fat, ni

---

1. **Vous vous gardiez de remuer :** vous évitiez de remuer.
2. **Branler :** remuer.
3. **Cadédis :** [par la] tête de Dieu !
4. **Vaille :** pour *baille*, donne.
5. **M'enseigne :** enseigne-moi.
6. **Fat :** idiot.
7. **Vélître :** pour *bélître*, gueux, vaurien.

maraud, ni bélître, et vous devriez, s'il vous plaît, parler d'autre
80 façon. – Comment ! tu mé traites, à moi, avec cette hauteur ? –
Je défends, comme je dois, un homme d'honneur qu'on
offense. – Est-ce que tu es des amis dé cé Géronte ? – Oui,
Monsieur, j'en suis. – Ah ! cadédis ! tu es dé ses amis, à la vonne
hure ! *(Il donne plusieurs coups de bâton sur le sac.)* Tiens ! boilà
85 cé qué jé té vaille pour lui. – Ah ! ah ! ah ! ah ! Monsieur. Ah !
ah ! Monsieur, tout beau ! Ah ! doucement, ah ! ah ! ah ! – Va,
porte-lui cela dé ma part. Adiusias ! » Ah ! Diable soit le
Gascon ! Ah ! *(en se plaignant et remuant le dos, comme s'il
avait reçu les coups de bâton).*

90 GÉRONTE, *mettant la tête hors du sac.* Ah ! Scapin, je n'en
puis plus.

SCAPIN. Ah ! Monsieur, je suis tout moulu, et les épaules
me font un mal épouvantable.

GÉRONTE. Comment ! c'est sur les miennes qu'il a frappé.

95 SCAPIN. Nenni, Monsieur, c'était sur mon dos qu'il frap-
pait.

GÉRONTE. Que veux-tu dire ? J'ai bien senti les coups, et
les sens bien encore.

SCAPIN. Non, vous dis-je, ce n'était que le bout du bâton
100 qui a été jusque sur vos épaules.

GÉRONTE. Tu devais donc te retirer un peu plus loin pour
m'épargner…

SCAPIN, *lui remet la tête dans le sac.* Prenez garde, en voici
un autre qui a la mine d'un étranger. *(Cet endroit est de même
105 que celui du Gascon pour le changement de langage et le jeu de
théâtre.)* « Parti[1], moi courir comme une Basque[2], et moi ne
pouvre point troufair de tout le jour sti tiable de Gironte. »
(À Géronte, avec sa voix ordinaire.) Cachez-vous bien.
« Dites-moi un peu, fous, Monsir l'homme, s'il ve plaît, fous
110 savoir point où l'est sti Gironte que moi cherchair ? – Non,

---

1. **Parti !** : pour *Pardi !*
2. **Courir comme une Basque** (comme un Basque) : expression proverbiale
signifiant « courir très vite ».

Monsieur, je ne sais point où est Géronte. – Dites-moi-le, fous, frenchemente, moi li foulor pas grande chose à lui. L'est seulemente pour le donnair une petite régal sur le dos d'une douzaine de coups de bâtonne, et de trois ou quatre petites
115 coups d'épée au trafers de son poitrine. – Je vous assure, Monsieur, que je ne sais pas où il est. – Il me semble que j'y fois remuair quelque chose dans sti sac. – Pardonnez-moi, Monsieur. – Li est assurément quelque histoire là-tetans. – Point du tout, Monsieur. – Moi l'avoir enfie de tonner ain
120 coup d'épée dans sti sac. – Ah ! Monsieur, gardez-vous-en bien. – Montre-le-moi un peu, fous, ce que c'être là. – Tout beau ! Monsieur. – Quement ? tout beau ? – Vous n'avez que faire de vouloir voir ce que je porte. – Et moi, je le foulor foir, moi. – Vous ne le verrez point. – Ah ! que de badinemente ! –
125 Ce sont hardes qui m'appartiennent. – Montre-moi fous, te dis-je. – Je n'en ferai rien. – Toi ne faire rien ? – Non. – Moi pailler de ste bâtonne dessus les épaules de toi. – Je me moque de cela. – Ah ! toi faire le trôle ! – *(Donnant des coups de bâton sur le sac et criant comme s'il les recevait.)* Ahi ! ahi ! ahi ! Ah !
130 Monsieur, ah ! ah ! ah ! – Jusqu'au refoir. L'être là un petit leçon pour li apprendre à toi à parlair insolentemente. » Ah ! Peste soit du baragouineux ! Ah !

GÉRONTE, *sortant la tête du sac.* Ah ! je suis roué[1].

SCAPIN. Ah ! je suis mort.

135 **GÉRONTE.** Pourquoi diantre faut-il qu'ils frappent sur mon dos ?

SCAPIN, *lui remettant la tête dans le sac.* Prenez garde, voici une demi-douzaine de soldats tout ensemble. *(Il contrefait plusieurs personnes ensemble.)* « Allons, tâchons à trouver ce
140 Géronte, cherchons partout. N'épargnons point nos pas. Courons toute la ville. N'oublions aucun lieu. Visitons tout. Furetons de tous les côtés. Par où irons-nous ? Tournons par là. Non, par ici. À gauche. À droite. Nenni. Si fait. » *(À Géronte, avec sa voix ordinaire.)* Cachez-vous bien. « Ah !

---

1. **Roué :** roué de coups.

Grégory Gerreboo (Scapin) et Laurent Richard (Géronte)
dans la mise en scène de Colette Roumanoff, théâtre Fontaine, 2002.

▀ SITUER

Argante a répété à Géronte ce que Scapin lui a appris au sujet de Léandre ;
Géronte s'en est pris au jeune homme, qui a accusé Scapin de l'avoir trahi.
Scapin estime que cet enchaînement de circonstances doit être mis, littérale-
ment, sur le dos de Géronte…

▀ RÉFLÉCHIR

STRUCTURE : le théâtre est… sur la scène

1. Combien y a-t-il de parties dans cette longue scène ? Ces parties sont-
elles nettement distinctes ou forment-elles un tout ?

2. Pourquoi le spectacle s'adresse-t-il ici aux yeux autant qu'aux oreilles ? Retrouvez les divers comiques mis en jeu ? À quel rythme cette scène se déroule-t- elle ?

3. Qu'est-ce qui est amusant dans les imitations que fait Scapin ? Suivent-
elles une progression ?

PERSONNAGES : un vieillard déplaisant

4. Relevez les passages où Géronte manifeste peur, crédulité et sottise.
« L'invention est bonne », dit-il (l. 54) : que signifie cette phrase ? Est-elle à
sa place dans sa bouche ?

5. Relevez les expressions qui soulignent les aspects antipathiques du
personnage. Comment son avarice le rend-elle franchement inhumain ?

STRATÉGIES : le double jeu

6. « Le changement de langage », « le jeu de théâtre » : à quoi renvoie
chacune de ces didascalies ?

7. Quels motifs Scapin donne-t-il de sa vengeance ? Qui, dans la première
scène, craignait d'être rossé ? Qui a déjà été rossé par Scapin ? Que veut-il
prouver et se prouver à lui-même, donc, en battant Géronte ?

DRAMATURGIE : le « one-man-show » de Scapin

8. Relevez les éléments qui montrent que dans cette scène l'acteur qui joue
Scapin doit être à la fois beau parleur et agile acrobate.

9. Comme plus haut Sylvestre déguisé en spadassin, Scapin ne se laisse-
t-il pas griser par son rôle ? Quelle vengeance lui est ici offerte ?

10. Scapin parvient à faire croire à Géronte qu'il est entouré de nombreux
personnages qui en fait n'existent pas : c'est tout l'art du théâtre. Qui, dans la
salle de théâtre, sans être vraiment enfermé dans un sac, reste cependant
immobile et plongé dans le noir ? Ne peut-on pas parler ici d'*illusion comique** ?

▀ ÉCRIRE

11. Imaginez un dialogue entre deux spectateurs à propos de cette scène.
L'un la trouve grossière et invraisemblable, l'autre lui répond qu'elle est absolument nécessaire…

145 camarades, voici son valet. Allons, coquin, il faut que tu nous
enseignes où est ton maître. – Eh ! Messieurs, ne me maltraitez
point. – Allons, dis-nous où il est. Parle. Hâte-toi. Expédions.
Dépêche vite. Tôt. – Eh ! Messieurs, doucement. *(Géronte met*
doucement la tête hors du sac et aperçoit la fourberie de Scapin.)
150 – Si tu ne nous fais trouver ton maître tout à l'heure, nous
allons faire pleuvoir sur toi une ondée de coups de bâton. –
J'aime mieux souffrir toute chose que de vous découvrir mon
maître. – Nous allons t'assommer. – Faites tout ce qu'il vous
plaira. – Tu as envie d'être battu ? – Je ne trahirai point mon
155 maître. – Ah ! tu en veux tâter ? Voilà… – Oh ! » *(Comme il est*
prêt de[1] frapper, Géronte sort du sac et Scapin s'enfuit.)

GÉRONTE. Ah ! infâme ! Ah ! traître ! Ah ! scélérat ! C'est
ainsi que tu m'assassines !

SCÈNE 3. ZERBINETTE, GÉRONTE.

ZERBINETTE, *en riant, sans voir Géronte.* Ah ! ah ! je veux
prendre un peu l'air.

GÉRONTE, *se croyant seul.* Tu me le payeras, je te jure.

ZERBINETTE, *sans voir Géronte.* Ah ! ah ! ah ! ah ! la plai-
5 sante histoire, et la bonne dupe que ce vieillard !

GÉRONTE. Il n'y a rien de plaisant à cela, et vous n'avez
que faire d'en rire.

ZERBINETTE. Quoi ! que voulez-vous dire, Monsieur ?

GÉRONTE. Je veux dire que vous ne devez pas vous
10 moquer de moi.

ZERBINETTE. De vous ?

GÉRONTE. Oui.

ZERBINETTE. Comment ? qui songe à se moquer de vous ?

GÉRONTE. Pourquoi venez-vous ici me rire au nez ?

---

1. Prêt de : la langue du XVIIᵉ siècle confond *près de* et *prêt à*.

15 **ZERBINETTE.** Cela ne vous regarde point[1], et je ris toute
seule d'un conte qu'on me vient de faire, le plus plaisant
qu'on puisse entendre ; je ne sais pas si c'est parce que je suis
intéressée dans la chose, mais je n'ai jamais trouvé rien de si
drôle qu'un tour qui vient d'être joué par un fils à son père
20 pour en attraper de l'argent.

GÉRONTE. Par un fils à son père pour en attraper de
l'argent ?

ZERBINETTE. Oui. Pour peu que vous me pressiez, vous
me trouverez assez disposée à vous dire l'affaire, et j'ai une
25 démangeaison naturelle à faire part des contes que je sais.

GÉRONTE. Je vous prie de me dire cette histoire.

ZERBINETTE. Je le veux bien. Je ne risquerai pas grand-chose
à vous la dire, et c'est une aventure qui n'est pas pour être
longtemps secrète. La destinée a voulu que je me trouvasse
30 parmi une bande de ces personnes qu'on appelle Égyptiens, et
qui, rôdant de province en province, se mêlent de dire la bonne
fortune[2], et quelquefois de beaucoup d'autres choses. En arrivant dans cette ville[3], un jeune homme me vit et conçut pour
moi de l'amour. Dès ce moment il s'attache à mes pas, et le
35 voilà d'abord comme tous les jeunes gens, qui croient qu'il n'y
a qu'à parler, et qu'au moindre mot qu'ils nous disent, leurs
affaires sont faites ; mais il trouva une fierté[4] qui lui fit un peu
corriger ses premières pensées. Il fit connaître sa passion aux
gens qui me tenaient, et il les trouva disposés à me laisser à lui
40 moyennant quelque somme. Mais le mal de l'affaire était que
mon amant se trouvait dans l'état où l'on voit très souvent la
plupart des fils de famille, c'est-à-dire qu'il était dénué
d'argent ; et il a un père qui, quoique riche, est un avaricieux
fieffé[5], le plus vilain homme du monde. Attendez. Ne me

---

1. **Cela ne vous regarde point :** cela ne vous concerne pas.
2. **Bonne fortune :** bonne aventure.
3. **En arrivant dans cette ville :** comme je venais d'arriver dans cette ville.
4. **Une fierté :** une réserve, un sentiment de dignité.
5. **Un avaricieux fieffé :** un parfait avare.

45 saurais-je souvenir de son nom ? Hai ! Aidez-moi un peu. Ne pouvez-vous me nommer quelqu'un de cette ville qui soit connu pour être avare au dernier point ?

GÉRONTE. Non.

ZERBINETTE. Il y a à son nom du ron… ronte. Or…
50 Oronte. Non. Gé… Géronte. Oui. Géronte, justement ; voilà mon vilain, je l'ai trouvé, c'est ce ladre[1]-là que je dis. Pour venir à notre conte, nos gens ont voulu aujourd'hui partir de cette ville, et mon amant m'allait perdre, faute d'argent, si, pour en tirer de son père, il n'avait trouvé de
55 secours dans l'industrie[2] d'un serviteur qu'il a. Pour le nom du serviteur, je le sais à merveille. Il s'appelle Scapin ; c'est un homme incomparable, et il mérite toutes les louanges qu'on peut donner.

GÉRONTE, *à part.* Ah ! coquin que tu es !

60 **ZERBINETTE.** Voici le stratagème dont il s'est servi pour attraper sa dupe. Ah ! ah ! ah ! ah ! Je ne saurais m'en souvenir que je ne rie de tout mon cœur. Ah ! ah ! ah ! Il est allé chercher ce chien d'avare ! ah ! ah ! ah ! et lui a dit qu'en se promenant sur le port avec son fils, hi ! hi ! ils avaient vu une
65 galère turque où on les avait invités d'entrer ; qu'un jeune Turc leur y avait donné la collation, ah ! que, tandis qu'ils mangeaient, on avait mis la galère en mer, et que le Turc l'avait renvoyé lui seul à terre dans un esquif, avec l'ordre de dire au père de son maître qu'il emmenait son fils en Alger,
70 s'il ne lui envoyait tout à l'heure cinq cents écus. Ah ! ah ! ah ! Voilà mon ladre, mon vilain, dans de furieuses angoisses ; et la tendresse qu'il a pour son fils fait un combat étrange avec son avarice. Cinq cents écus qu'on lui demande sont justement cinq cents coups de poignard qu'on lui donne.
75 Ah ! ah ! ah ! Il ne peut se résoudre à tirer cette somme de ses entrailles, et la peine qu'il souffre lui fait trouver cent moyens ridicules pour ravoir son fils. Ah ! ah ! Il veut envoyer

---

1. **Ladre :** avare.
2. **Industrie :** ingéniosité (voir p. 186).

SITUER

Géronte dans son sac s'est fait bastonner par son valet Scapin, et il est difficile d'imaginer humiliation plus grande. Mais le destin met sur sa route Zerbinette, qui va remuer le fer dans la plaie en lui contant « une plaisante histoire »…

RÉFLÉCHIR

DRAMATURGIE : une fourberie de Scapin… en l'absence de Scapin

1. Combien y a-t-il d'étapes dans ce nouveau récit ? Montrez que les interventions de Géronte ponctuent ces étapes.

2. N'assiste-t-on pas ici à un quasi-monologue ? Pourquoi ?

3. Est-il concevable que Zerbinette puisse avoir une connaissance aussi précise de la scène de la galère ? Pourquoi Molière se permet-il d'oublier un peu la vraisemblance ?

REGISTRES ET TONALITÉS : jeune première contre vieux dernier

4. Relevez, au début de la scène, les expressions qui restent incompréhensibles pour l'un ou l'autre des deux personnages. Quel rôle est ainsi reconnu au spectateur ? Pourquoi cette situation débouche-t-elle sur un effet comique ?

5. Retrouvez dans la présentation faite de Zerbinette (acte III, scène 1) la justification de l'énorme gaffe qu'elle commet ici.

PERSONNAGES : Géronte de nouveau battu

6. À qui s'adresse Géronte quand il s'écrie : « Ah ! Coquin que tu es ! » (l. 59) ? Peut-on penser qu'il souffre plus encore en entendant ce récit que tout à l'heure en recevant des coups ? Pourquoi ?

7. Pourquoi est-il si long à réagir ? Quel trait de son caractère est ainsi révélé ?

8. Dans la dernière réplique de Géronte, quel est l'ordre d'apparition des personnages dont le vieillard entend se venger ? Prévoit-il les mêmes sanctions pour tous ?

9. Cette scène n'apprend rien au spectateur, et c'est pourtant l'une des plus célèbres des *Fourberies*. Quel est donc le but de telles scènes ? Quel est aussi le plaisir du théâtre ?

MISE EN SCÈNE : la femme qui rit et l'homme qui se tait

10. Le rire de Zerbinette ne risque-t-il pas de devenir lassant ? Comment la mise en scène peut-elle écarter ce danger ?

ÉCRIRE

11. Imaginez les pensées de Sylvestre, s'il est de loin témoin de cette scène.

la justice en mer après la galère du Turc. Ah ! ah ! ah ! Il sollicite son valet de s'aller offrir à tenir la place de son fils
80 jusqu'à ce qu'il ait amassé l'argent qu'il n'a pas envie de donner. Ah ! ah ! ah ! Il abandonne, pour faire les cinq cents écus, quatre ou cinq vieux habits qui n'en valent pas trente. Ah ! ah ! ah ! Le valet lui fait comprendre à tous coups l'impertinence[1] de ses propositions, et chaque réflexion est
85 douloureusement accompagnée d'un : « Mais que diable allait-il faire à cette galère ! Ah ! maudite galère ! Traître de Turc ! » Enfin, après plusieurs détours, après avoir long-temps gémi et soupiré… Mais il me semble que vous ne riez point de mon conte. Qu'en dites-vous ?

90 **GÉRONTE.** Je dis que le jeune homme est un pendard, un insolent, qui sera puni par son père du tour qu'il lui a fait ; que l'Égyptienne est une malavisée, une impertinente, de dire des injures à un homme d'honneur qui saura lui apprendre à venir ici débaucher les enfants de famille[2], et que le
95 valet est un scélérat qui sera par Géronte envoyé au gibet avant qu'il soit demain.

Scène 4. Sylvestre, Zerbinette.

SYLVESTRE. Où est-ce donc que vous vous échappez[3] ? Savez-vous bien que vous venez de parler là au père de votre amant ?

ZERBINETTE. Je viens de m'en douter et je me suis adres-
5 sée à lui-même, sans y penser, pour lui conter son histoire.

SYLVESTRE. Comment, son histoire ?

ZERBINETTE. Oui, j'étais toute remplie du conte, et je brûlais de le redire. Mais qu'importe ? Tant pis pour lui. Je ne vois pas que les choses pour nous en puissent être ni pis ni
10 mieux.

---

1. **Impertinence :** absurdité.
2. **De famille :** de bonne famille.
3. **Où est-ce donc que vous vous échappez ? :** à quoi vous êtes-vous laissée aller ?

SYLVESTRE. Vous aviez grande envie de babiller ; et c'est avoir bien de la langue que de ne pouvoir se taire de ses propres affaires.

ZERBINETTE. N'aurait-il pas appris cela de quelque autre ?

SCÈNE 5. ARGANTE, SYLVESTRE.

ARGANTE. Holà ! Sylvestre.

SYLVESTRE, *à Zerbinette.* Rentrez dans la maison. Voilà mon maître qui m'appelle.

ARGANTE. Vous vous êtes donc accordés, coquin ; vous
5 vous êtes accordés, Scapin, vous et mon fils, pour me fourber, et vous croyez que je l'endure[1] ?

SYLVESTRE. Ma foi, Monsieur, si Scapin vous fourbe, je m'en lave les mains, et vous assure que je n'y trempe en aucune façon.

10 **ARGANTE.** Nous verrons cette affaire, pendard, nous verrons cette affaire, et je ne prétends pas qu'on me fasse passer la plume par le bec[2].

SCÈNE 6. GÉRONTE, ARGANTE, SYLVESTRE.

GÉRONTE. Ah ! seigneur Argante, vous me voyez accablé de disgrâce.

ARGANTE. Vous me voyez aussi dans un accablement horrible.

GÉRONTE. Le pendard de Scapin, par une fourberie, m'a
5 attrapé cinq cents écus.

ARGANTE. Le même pendard de Scapin, par une fourberie aussi, m'a attrapé deux cents pistoles.

---

1. **Que je l'endure** (subj.) : que je puisse le supporter.
2. **Qu'on me fasse passer la plume par le bec :** on passait jadis une plume à travers les deux orifices du bec des oies pour les empêcher de franchir les haies. L'expression signifie donc « qu'on m'empêche d'agir comme je l'entends ».

LES FOURBERIES DE SCAPIN

GÉRONTE. Il ne s'est pas contenté de m'attraper cinq cents écus, il m'a traité d'une manière que j'ai honte de dire. Mais
10 il me la payera[1].

ARGANTE. Je veux qu'il me fasse raison de la pièce qu'il m'a jouée[2].

GÉRONTE. Et je prétends faire de lui une vengeance exemplaire.

15 **SYLVESTRE,** *à part.* Plaise au Ciel que dans tout ceci je n'aie point ma part !

GÉRONTE. Mais ce n'est pas encore tout, seigneur Argante, et un malheur nous est toujours l'avant-coureur d'un autre. Je me réjouissais aujourd'hui de l'espérance d'avoir ma fille,
20 dont je faisais toute ma consolation, et je viens d'apprendre de mon homme[3] qu'elle est partie, il y a longtemps, de Tarente, et qu'on y croit qu'elle a péri dans le vaisseau où elle s'embarqua.

ARGANTE. Mais pourquoi, s'il vous plaît, la tenir à Tarente,
25 et ne vous être pas donné la joie de l'avoir avec vous ?

GÉRONTE. J'ai eu mes raisons pour cela, et des intérêts de famille m'ont obligé jusques ici à tenir secret ce second mariage. Mais que vois-je ?

SCÈNE 7. NÉRINE, ARGANTE, GÉRONTE, SYLVESTRE.

GÉRONTE. Ah ! te voilà, nourrice ?

NÉRINE, *se jetant à ses genoux.* Ah ! seigneur Pandolphe, que…

GÉRONTE. Appelle-moi Géronte, et ne te sers plus de ce
5 nom. Les raisons ont cessé, qui m'avaient obligé à le prendre parmi vous à Tarente.

---

1. Il me la payera : on dirait aujourd'hui « il me le paiera ».
2. Qu'il me fasse raison de la pièce qu'il m'a jouée : qu'il soit puni du tour qu'il m'a joué.
3. Il s'agit de l'homme dont il a été question dans la première réplique de l'acte II.

NÉRINE.   Las ! que ce changement de nom nous a causé de troubles et d'inquiétudes dans les soins que nous avons pris de vous venir chercher ici !

10   **GÉRONTE.**   Où est ma fille et sa mère ?

NÉRINE.   Votre fille, Monsieur, n'est pas loin d'ici. Mais, avant que de vous la faire voir, il faut que je vous demande pardon de l'avoir mariée, dans l'abandonnement[1] où, faute de vous rencontrer, je me suis trouvée avec elle.

15   **GÉRONTE.**   Ma fille mariée !

NÉRINE.   Oui, monsieur.

GÉRONTE.   Et avec qui ?

NÉRINE.   Avec un jeune homme nommé Octave, fils d'un certain seigneur Argante.

20   **GÉRONTE.**   Ô ciel !

ARGANTE.   Quelle rencontre !

GÉRONTE.   Mène-nous, mène-nous promptement où elle est.

NÉRINE.   Vous n'avez qu'à entrer dans ce logis.

GÉRONTE.   Passe devant. Suivez-moi, suivez-moi, seigneur
25   Argante.

SYLVESTRE.   Voilà une aventure qui est tout à fait surprenante !

SCÈNE 8.   SCAPIN, SYLVESTRE.

SCAPIN.   Hé bien ! Sylvestre, que font nos gens ?

SYLVESTRE.   J'ai deux avis à te donner. L'un, que l'affaire d'Octave est accommodée. Notre Hyacinte s'est trouvée la fille du seigneur Géronte ; et le hasard a fait ce que la
5   prudence des pères avait délibéré[2]. L'autre avis, c'est que les deux vieillards font contre toi des menaces épouvantables, et surtout le seigneur Géronte.

---

1. **Abandonnement :** abandon.
2. **Délibéré :** décidé.

SCAPIN. Cela n'est rien. Les menaces ne m'ont jamais fait mal, et ce sont des nuées qui passent bien loin sur nos têtes.

10 **SYLVESTRE.** Prends garde à toi ; les fils pourraient bien raccommoder avec les pères, et toi demeurer dans la nasse[1].

SCAPIN. Laisse-moi faire, je trouverai moyen d'apaiser leur courroux, et...

SYLVESTRE. Retire-toi, les voilà qui sortent.

SCÈNE 9. GÉRONTE, ARGANTE, SYLVESTRE, NÉRINE, HYACINTE.

GÉRONTE. Allons, ma fille, venez chez moi. Ma joie aurait été parfaite si j'y avais pu voir votre mère avec vous.

ARGANTE. Voici Octave tout à propos.

SCÈNE 10. OCTAVE, ARGANTE, GÉRONTE, HYACINTE, NÉRINE, ZERBINETTE, SYLVESTRE.

ARGANTE. Venez, mon fils, venez vous réjouir avec nous de l'heureuse aventure de votre mariage. Le ciel...

OCTAVE, *sans voir Hyacinte.* Non, mon père, toutes vos propositions de mariage ne serviront de rien. Je dois lever le
5 masque avec vous, et l'on vous a dit mon engagement.

ARGANTE. Oui ; mais tu ne sais pas...

OCTAVE. Je sais tout ce qu'il faut savoir.

ARGANTE. Je veux te dire que la fille du seigneur Géronte...

OCTAVE. La fille du seigneur Géronte ne me sera jamais de
10 rien.

GÉRONTE. C'est elle...

OCTAVE, *à Géronte.* Non, Monsieur, je vous demande pardon, mes résolutions sont prises.

---

1. Demeurer dans la nasse : la nasse étant un filet de pêche, la traduction littérale est « rester pris au piège ».

SYLVESTRE, *à Octave.* Écoutez.

15 **OCTAVE.** Non, tais-toi, je n'écoute rien.

ARGANTE, *à Octave.* Ta femme…

OCTAVE. Non, vous dis-je, mon père, je mourrai plutôt que de quitter mon aimable Hyacinte. *(Traversant le théâtre pour aller à elle.)* Oui, vous avez beau faire, la voilà celle à
20 qui ma foi est engagée ; je l'aimerai toute ma vie, et je ne veux point d'autre femme…

ARGANTE. Hé bien ! c'est elle qu'on te donne. Quel diable d'étourdi, qui suit toujours sa pointe[1] !

HYACINTE, *montrant Géronte.* Oui, Octave, voilà mon
25 père que j'ai trouvé, et nous nous voyons hors de peine.

GÉRONTE. Allons chez moi, nous serons mieux qu'ici pour nous entretenir.

HYACINTE, *montrant Zerbinette.* Ah ! mon père, je vous demande par grâce que je ne sois pas séparée de l'aimable
30 personne que vous voyez : elle a un mérite qui vous fera concevoir de l'estime pour elle quand il sera connu de vous.

GÉRONTE. Tu veux que je tienne chez moi une personne qui est aimée de ton frère et qui m'a dit tantôt au nez mille sottises de moi-même !

35 **ZERBINETTE.** Monsieur, je vous prie de m'excuser. Je n'aurais pas parlé de la sorte, si j'avais su que c'était vous, et je ne vous connaissais que de réputation.

GÉRONTE. Comment ! que de réputation ?

HYACINTE. Mon père, la passion que mon frère a pour elle
40 n'a rien de criminel, et je réponds de sa vertu.

GÉRONTE. Voilà qui est fort bien. Ne voudrait-on point que je mariasse mon fils avec elle ! Une fille qui, inconnue, fait le métier de coureuse[2] !

---

1. **Qui suit toujours sa pointe :** qui suit toujours son idée.
2. **Coureuse :** femme de mauvaise vie.

SCÈNE 11. LÉANDRE, OCTAVE, HYACINTE, ZERBINETTE, ARGANTE, GÉRONTE, SYLVESTRE, NÉRINE.

LÉANDRE. Mon père, ne vous plaignez point que j'aime une inconnue sans naissance et sans bien. Ceux de qui je l'ai rachetée viennent de me découvrir qu'elle est de cette ville et d'honnête famille ; que ce sont eux qui l'ont dérobée à l'âge
5 de quatre ans ; et voici un bracelet qu'ils m'ont donné, qui pourra nous aider à trouver ses parents.

ARGANTE. Hélas ! à voir ce bracelet, c'est ma fille que je perdis à l'âge que vous dites.

GÉRONTE. Votre fille ?

10 **ARGANTE.** Oui, ce l'est, et j'y vois tous les traits[1] qui m'en peuvent rendre assuré.

HYACINTE. Ô Ciel ! que d'aventures extraordinaires !

SCÈNE 12. CARLE, LÉANDRE, OCTAVE, GÉRONTE, ARGANTE, HYACINTE, ZERBINETTE, SYLVESTRE, NÉRINE.

CARLE. Ah ! Messieurs, il vient d'arriver un accident étrange.

GÉRONTE. Quoi ?

CARLE. Le pauvre Scapin...

5 **GÉRONTE.** C'est un coquin que je veux pendre.

CARLE. Hélas ! Monsieur, vous ne serez pas en peine de cela. En passant contre un bâtiment, il lui est tombé sur la tête un marteau de tailleur de pierre qui lui a brisé l'os et découvert toute la cervelle. Il se meurt, et il a prié qu'on
10 l'apportât ici pour vous pouvoir parler avant que de mourir.

ARGANTE. Où est-il ?

CARLE. Le voilà.

---

1. **Les traits :** les signes (lettres, dessins) tracés sur ce bracelet.

SITUER

Consternation sur tous les fronts ! Scapin a été démasqué par les pères, qui sont furieux contre lui. Et pour ajouter au malheur de Géronte, il semble que sa fille ait péri dans un naufrage. Pour remettre un peu d'ordre dans tout cela, il faudrait un miracle : en voici deux !

RÉFLÉCHIR

DRAMATURGIE : tout est bien qui finit bien

1. Quelles sont les scènes de reconnaissance ? Qui reconnaît qui ? Comment ces scènes font-elles écho aux récits romanesques qui ont ponctué la pièce ?

2. Relevez les éléments qui rendent la première reconnaissance à peu près vraisemblable. La seconde est-elle préparée aussi soigneusement ?

3. Établissez à présent le tableau généalogique de tous les personnages.

4. « Ô ciel ! Que d'aventures extraordinaires ! » (scène 11) : que signifie cette exclamation de surprise ? Pourquoi la mettre dans la bouche de Hyacinte ? Pourquoi peut-on parler ici d'ironie de Molière à l'égard de sa propre pièce ?

STRATÉGIES : Scapin, un homme de trop ?

5. Scapin apparaît entre les scènes de reconnaissance, et non pendant ces scènes : pourquoi n'assiste-t-il ni à l'une, ni à l'autre ?

6. Sylvestre avait déjà dit à Scapin : « Il est vrai que tu es maître de tes épaules ». Il lui signale maintenant qu'il pourrait « demeurer dans la nasse » (scène 8) : quel sentiment l'anime quand il prodigue ces mises en garde ?

PERSONNAGES : Géronte, un homme isolé ?

7. Dans les scènes de reconnaissance, relevez les passages où Argante se montre encore une fois plus humain que Géronte.

8. Géronte décrit Zerbinette comme « une fille inconnue, qui fait le métier de coureuse » (scène 10). Que signifie ce mot ? Pourquoi Géronte détourne-t-il ainsi la description que la jeune fille a faite d'elle-même (III, 3) ?

9. « Je ne vous connaissais que de réputation », dit Zerbinette à Géronte (scène 10) : comment comprendre cette phrase ? Nouvelle gaffe de Zerbinette ou propos délibéré ?

STRUCTURE : un découpage hardi

10. Y a-t-il, comme le voudraient les règles du théâtre classique, une nouvelle action dans chacune de ces nombreuses scènes ? Pourquoi ce passage est-il donc ainsi découpé ?

SCÈNE 13. SCAPIN, CARLE, GÉRONTE, ARGANTE, ETC.

SCAPIN, *apporté par deux hommes, et la tête entourée de linges, comme s'il avait été bien blessé.* Ahi ! ahi ! Messieurs, vous me voyez… Ahi ! vous me voyez dans un étrange état. Ahi ! Je n'ai pas voulu mourir sans venir demander pardon à
5 toutes les personnes que je puis avoir offensées. Ahi ! oui, Messieurs, avant que de rendre le dernier soupir, je vous conjure de tout mon cœur de vouloir me pardonner tout ce que je puis vous avoir fait, et principalement le seigneur Argante et le seigneur Géronte. Ahi !

10 **ARGANTE.** Pour moi, je te pardonne ; va, meurs en repos…

SCAPIN, *à Géronte.* C'est vous, Monsieur, que j'ai le plus offensé par les coups de bâton que…

GÉRONTE. Ne parle pas davantage, je te pardonne aussi.

SCAPIN. Ç'a été une témérité bien grande à moi que les
15 coups de bâton que je…

GÉRONTE. Laissons cela.

SCAPIN. J'ai, en mourant, une douleur inconcevable des coups de bâton que…

GÉRONTE. Mon Dieu, tais-toi.

20 **SCAPIN.** Les malheureux coups de bâton que je vous…

GÉRONTE. Tais-toi, te dis-je, j'oublie tout.

SCAPIN. Hélas ! quelle bonté ! Mais est-ce de bon cœur, Monsieur, que vous me pardonnez ces coups de bâton que…

GÉRONTE. Eh ! oui. Ne parlons plus de rien ; je te
25 pardonne tout : voilà qui est fait.

SCAPIN. Ah ! Monsieur, je me sens tout soulagé depuis cette parole.

GÉRONTE. Oui ; mais je te pardonne à la charge que[1] tu mourras.

---

1. **À la charge que :** à condition que.

30 **SCAPIN.** Comment, Monsieur ?

GÉRONTE. Je me dédis de ma parole si tu réchappes.

SCAPIN. Ahi ! ahi ! Voilà mes faiblesses qui me reprennent.

ARGANTE. Seigneur Géronte, en faveur de notre joie, il faut lui pardonner sans condition.

35 **GÉRONTE.** Soit.

ARGANTE. Allons souper ensemble pour mieux goûter notre plaisir.

SCAPIN. Et moi, qu'on me porte au bout de la table, en attendant que je meure.

■ SITUER

Octave et Léandre viennent d'apprendre que les femmes qu'ils aiment sont celles que leurs pères souhaitaient leur faire épouser. Tout est bien qui finit bien ? Pas tout à fait, car le sort de Scapin n'est pas encore réglé. Comment va-t-il s'en sortir ?

■ RÉFLÉCHIR

DRAMATURGIE : celui qu'on n'attendait plus…

1. Qu'est-ce qui est vraisemblable et qu'est-ce qui est invraisemblable dans l'accident de Scapin tel que le décrit Carle ? Dans quelles circonstances a-t-on déjà vu Carle intervenir ?

2. À quelle réplique de Géronte font écho les derniers mots de Scapin : « …en attendant que je meure » ?

3. Scapin apparaît déguisé en blessé. Voyez-vous dans cet état le symbole d'un demi-échec ? d'une demi-victoire ?

4. Tous les personnages sont présents, mais trois seulement interviennent dans la dernière scène. Lesquels et pourquoi ?

PERSONNAGES : des remords perfides, l'ultime fourberie

5. Comment Argante et Géronte réagissent-ils à l'annonce de l'accident de Scapin ?

6. Pourquoi Géronte dit-il à Scapin : « Je te pardonne à la charge que tu mourras » (scène 13) ?

7. Étudiez les excuses que Scapin présente à Géronte. Sur quoi insiste-t-il à cinq reprises ? Pourquoi Géronte essaie-t-il de le faire taire ? Quelles réactions montrent que le vieillard n'est pas dupe ?

8. En quoi cette scène précise-t-elle encore le caractère de Géronte ? Quel type de comique rencontre-t-on ici ?

MISE EN SCÈNE : le triomphe ?

9. Quel doit être le comportement sur scène des personnages muets témoins du dialogue entre Géronte et Scapin ? Que fait le public dans la salle ? Comme dans une scène précédente, qui est seul à ne pas rire ?

10. « Qu'on me porte au bout de la table » : le « bout de la table » est-il la dernière place, celle qui reviendrait au valet Scapin, ou la meilleure place, celle que les comédiens réservent à Molière à la fin de la représentation ? Comment comprendre cette sortie de scène fameuse ?

■ ÉCRIRE

11. En une page : *Quelques mois plus tard…* Scapin est-il resté au service de ses maîtres ?

En soutirant de l'argent aux pères à la fin de l'acte II, Scapin répondait aux exigences des jeunes gens mais ne faisait qu'envenimer le conflit qui opposait pères et fils. L'acte III a pour fonction de tout régler.

SCAPIN EN RETRAIT

1. Scapin est-il aussi présent dans cet acte qu'il l'était précédemment ? Après la scène du sac, quelle est la dernière fourberie qu'il met au point ?

2. Pourquoi les pères reviennent-ils l'un et l'autre sur leur opposition aux mariages que voulaient leurs fils ? Les fourberies de Scapin ont-elles un rôle dans ce revirement ?

3. Peut-on parler de « victoire de Scapin » ?

TOUS EN SCÈNE !

4. Quel nouveau personnage, apparu pour la première fois à l'acte III, poursuit avec Scapin la remise en cause de l'autorité de Géronte ? Précisez son action et son apport propres.

5. Dans cet acte III, les couples se précisent : Scapin-Sylvestre, Géronte-Argante, Léandre-Octave, Hyacinte-Zerbinette ; résumez pour chacun de ces couples les ressemblances et les oppositions.

UN COMIQUE ACCÉLÉRÉ

6. La « nuée de coups de bâton » que redoutait Sylvestre (acte I, scène 1) est bien tombée, mais sur le dos de qui ? Pourquoi le spectateur y prend-il un tel plaisir ? Quel est le rôle de la comédie ?

7. Quels sont les différents niveaux de comique qui caractérisent la fin de la pièce ? Comment, en particulier, les effets de gestuelle se combinent-ils avec les plaisanteries de Scapin ?

UN DÉNOUEMENT HEUREUX...

Le dénouement* de comédie se doit, comme son nom l'indique, de dénouer les intrigues par un événement heureux, en général un mariage.

1. En quoi le dénouement des *Fourberies* satisfait-il presque tout le monde ? Pourquoi Géronte constitue-t-il un cas à part ?

... MAIS PEU RIGOUREUX ?

2. *Les Fourberies de Scapin* se terminent-elles bien parce que l'intrigue le veut ainsi, par nécessité logique ? Ou bien le dénouement est-il heureux simplement parce qu'un dénouement malheureux n'aurait pas sa place dans une comédie ? Justifiez votre réponse.

3. En quoi ce dénouement des *Fourberies* nous fait-il rire ? Molière entend-il seulement nous montrer les conflits entre les enfants et les pères à propos de l'amour et de l'argent ? Qu'est-ce qui lui permet de présenter ces conflits sur le mode souriant ?

SCAPIN ET LES PROBLÈMES DE LA CONDITION SOCIALE

Sylvestre avait prévenu Scapin : « Les fils se pourraient bien raccommoder avec leurs pères ».

4. Si le dénouement est invraisemblable sur le plan des réalités, l'est-il du point de vue de la psychologie des personnages ? En quoi les fils sont-ils bien, à maints égards, « les fils de leurs pères » ?

5. À la fin de la pièce, Scapin a rossé ses deux maîtres, Léandre et Géronte : quel conflit se révèle ainsi ? À qui Scapin s'oppose-t-il ? Quelle revendication sociale exprime-t-il ?

VRAIES OU FAUSSES FOURBERIES ?

Héritier de la farce et de la *commedia dell'arte*, Scapin reste pourtant, jusqu'au bout, un personnage complexe.

6. Une mise en scène assez récente pouvait conduire à penser que, dans la dernière scène, Scapin était vraiment blessé et agonisait vraiment. Cette hypothèse vous paraît-elle défendable ?

7. Le terme de *fourberies* vous paraît-il qualifier exactement les actes de Scapin ? Scapin est-il fourbe ? Ingénieux ? Est-ce un farceur ? Est-il réellement sympathique ?

L'UNIVERS
DE L'ŒUVRE

*Dossier documentaire
et pédagogique*

LE TEXTE
ET SES IMAGES

THÉÂTRE EN PLEIN AIR, THÉÂTRE EN SALLE (P. 2-3)

Molière, malade, rêve de soleil, de lumière et de grand air au moment où il écrit *Les Fourberies*. Il choisit tout naturellement un héros né dans la rue, comme le théâtre populaire qu'il symbolise…

1. Le type de représentation théâtrale que l'on voit sur le document 1 correspond-il à l'idée que nous nous faisons aujourd'hui du théâtre ? Dans quelles occasions peut-on aujourd'hui encore assister à des spectacles en plein air ?

2. Essayez d'imaginer la situation en vous fondant sur l'allure et l'attitude des personnages du document 2. Quel élément du décor joue un rôle particulier dans cette scène ?

3. Sur le document 3, comment la mise en scène attire-t-elle l'attention sur le personnage de droite ? Pourquoi cet effet serait-il difficile à obtenir dans un spectacle de plein air ?

OMBRES ET LUMIÈRES (P. 4-5)

Scapin, valet de la comédie italienne, a parfois changé d'apparence en traversant les siècles, mais il demeure l'éternel insoumis.

4. À quels passages de la pièce le tableau de Daumier peut-il correspondre ?

5. Quel est l'accessoire central qui apparaît dans les documents 5 et 6 ? À quelles scènes de la pièce renvoie-t-il ? L'infériorité de Scapin est-elle traduite de la même façon dans les deux mises en scène ?

6. Document 6 : pourquoi, pour cette scène, le photographe a-t-il préféré prendre les acteurs de près et montrer seulement une partie du décor ? Étudiez, à partir des photos 6, 13 et 20, les différents types de cadrage choisis.

LES COSTUMES (P. 6-7)

Farce sans conséquence ou écho des tensions sociales ? Les costumes choisis pour habiller les personnages des *Fourberies* semblent, suivant les mises en scène, sortis d'un spectacle de clowns ou empruntés directement à la réalité.

7. Document 7 : pourquoi cette dominante rouge dans le costume de Scapin ? et pourquoi un tissu rayé, et non pas uni ?

8. Document 8 : à quelle époque appartiennent les costumes que nous voyons ici ? S'accordent-ils avec la didascalie suivant laquelle « la scène est à Naples » ?

9. Quels sont les deux accessoires qui manquent à Scapin si on le compare à Léandre et à Octave ?

10. À quelle scène cette illustration correspond-elle ? En quoi le manteau porté par Scapin peut-il être un élément dramatique ?

11. Document 9 : le costume de Scapin évoque à certains égards un costume de marin ; quels éléments de la pièce peuvent justifier un tel choix ?

12. Ce costume de marin peut aussi rappeler la manière dont on habillait les jeunes enfants au milieu du XXᵉ siècle. Est-il concevable que la mise en scène veuille donner à Scapin l'allure d'un gamin ?

LES HÉROÏNES (P. 8-9)

Personnages de second plan, simples « accessoires » aux dires de certains, les deux jeunes femmes des *Fourberies* peuvent aussi être vues comme les commentatrices les plus lucides des différents événements.

13. Document 10 : comment la mise en scène parvient-elle à traduire tout à la fois la proximité physique et l'éloignement moral de Géronte et de Zerbinette ? Étudiez, entre autres, la position des jambes des deux personnages.

14. Comment l'attitude de Hyacinte et de Zerbinette traduit-elle à la fois leur complicité et leur différence d'éducation et de caractère ?

LES ROYAUMES DE SCAPIN (P. 10-11)

Épuisé par les complexités techniques de sa précédente pièce, la spectaculaire *Psyché*, Molière choisit pour *Les Fourberies* une histoire dans laquelle les lieux n'ont qu'une importance secondaire. Mais la perfection de la pièce a amené plusieurs metteurs en scène à soigner aussi les décors.

15. Document 12 : quelle est la fonction d'un tel dessin dans la préparation d'une mise en scène ?

16. Document 12 : comparez ce dessin avec la photo de la page 65. Quelles différences remarquez-vous ?

17. Document 12 : quel est l'élément central de ce décor ? Quels éléments rendent plausible la scène de la galère ?

18. Pourquoi, selon vous, le décor de la photo 13 met-il autant l'accent sur les toits des maisons ? Quels peuvent être les différents sens de ce linge étendu sur un fil ?

19. En quoi la symétrie des décors de la photo 14 fait-elle écho à la composition même de la pièce ? Pourquoi ce gigantisme des piliers ? Quelle impression l'effet de perspective peut-il ainsi produire ?

UNE FARCE ? (P. 12-15)

Demi-victoire ou demi-défaite de Scapin, dans cette fameuse scène du sac où sa fourberie est finalement mise à jour, ou dans la scène finale ? Dans un cas comme dans l'autre, c'est le triomphe du théâtre.

20. Documents 15 à 18 : en quoi les deux Scapin de ces deux versions de la scène du sac sont-ils totalement différents ? Lequel s'affirme visiblement comme un metteur en scène ? Lequel a l'air pensif, et semble presque obéir à Géronte ? Comparez ces deux visions du personnage. Laquelle des deux vous paraît la plus intéressante ? Lequel des deux Scapin est le plus manipulateur ?

21. Document 19 : à quel moment du dénouement se situe exactement cette scène ?

22. Y a-t-il des éléments indiquant clairement qu'il s'agit d'une scène comique ? Quel est le personnage qui semble se pencher le plus sur Scapin ? Pourquoi ?

SCAPIN, VALET OU ROI ? (P. 16)

On insiste souvent sur l'énergie et la vitalité de Scapin. Mais de quel type d'énergie s'agit-il ?

23. Cette vision de Scapin allongé et perplexe vous paraît-elle compatible avec le texte de la pièce ? Pourquoi ?

24. Étudiez le vêtement de Scapin. Correspond-il très précisément à une époque ?

QUAND MOLIÈRE
ÉCRIVAIT...

Les Fourberies de Scapin :
une pièce longtemps controversée

Quand Molière donne *Les Fourberies de Scapin* (mai 1671), peu après cette pièce si différente qu'est *Psyché*, il est au faîte de sa renommée, mais il est aussi bien malade – il mourra deux ans plus tard, en 1673. Pour quelles raisons revient-il à la farce de sa jeunesse ? Tous les commentateurs se sont posé la question, sans apporter de réponse bien convaincante. La pièce présente ainsi quelques aspects énigmatiques.

LES CONDITIONS MATÉRIELLES

En 1671, **la Troupe du roi** (titre de la compagnie de Molière depuis 1665) est assez nombreuse, et c'est une troupe de qualité. À cette date, elle joue dans la salle du Palais-Royal, qui peut contenir environ 1 200 spectateurs. Le spectacle a lieu dans l'après-midi. Ce qui surprendrait le plus aujourd'hui, c'est qu'il y a peu de places assises. Sur la scène même, les nobles ont des places et des fauteuils d'où ils peuvent être vus des autres spectateurs, à l'instar des comédiens. Sur le côté de la salle et derrière le parterre, des loges et plus généralement des places assises accueillent ceux qui peuvent payer leur entrée. Mais au parterre, la masse des spectateurs, les gens du peuple, reste debout. Tout ce monde est, pour des raisons diverses mais évidentes, très turbulent et il est bien difficile d'obtenir le silence.

LA REPRÉSENTATION ET LA CONDITION DES ACTEURS

Les Fourberies de Scapin demandent un décor simple : « La scène est à Naples ». En fait, il semble bien que, pour cette pièce, l'élément essentiel soit dans **la distribution des personnages**. Les acteurs sont connus : il s'agit en particulier de La Grange (qui joue Léandre), Baron (Octave), Mlle Beauval (Zerbinette) qui, comme elle l'a déjà fait dans *Le Bourgeois gentilhomme*, se signale par son rire heureux, Mlle Molière (Hyacinte), qui est la femme de Molière, La Thorillière (Sylvestre) et, bien sûr, dans le personnage de Scapin, Molière lui-même. Molière est alors un acteur exceptionnel par son agilité physique, son jeu, sa verve et sa présence sur scène.

Ces acteurs sont bien payés, mais leur condition sociale reste médiocre. Catholiques et protestants condamnent le théâtre et les comédiens, et il est en principe interdit d'assister aux représentations. Parfois, ces condamnations ne vont pas sans une certaine hypocrisie, puisque, souvent, ceux-là mêmes qui dénoncent les dangers du théâtre – le prince de Conti, par exemple – y vont chaque soir pour y puiser de nouveaux arguments ; toutefois il faut bien voir que le débat est un débat de fond : c'est le théâtre tout entier, sous toutes ses formes, qui est condamné sans appel, et non tel ou tel type de spectacle. Ainsi, quand Corneille écrit, dans l'« Avis au lecteur » de son *Attila* : « L'amour dans le malheur n'excite que la pitié, et est plus capable de purger en nous cette passion que de nous en faire envie », il se trompe quand il pense échapper à la vindicte d'un Nicole qui, dans son *Traité de la comédie* publié en 1667, devance d'une certaine manière la célèbre formule de Baudelaire suivant laquelle la plus grande ruse du diable est de nous faire croire qu'il n'existe pas. La représentation théâtrale est encore plus dangereuse lorsqu'elle prétend défendre la morale en mettant en évidence la punition finale des méchants ; car, qu'elle représente ou non le châtiment des méchants, elle contribue par leur seule représentation à renforcer le lien entre le chrétien et le monde d'ici-bas, quand seule la messe conduit le chrétien au voyage intérieur qui lui permettra d'échapper au monde.

Et les comédiens, comment pourraient-ils résister à la tentation de s'identifier au tyran qu'ils interprètent, si monstrueux que puisse être celui-ci et si sévère que puisse être le châtiment qui le frappe à la fin ? Plus l'acteur jouera bien son rôle, plus il commettra un acte coupable. Tous ceux qui défendent le théâtre à coups d'arguments esthétiques contribuent donc, aux yeux de l'Église, à en souligner l'immoralité.

Il faudra attendre près d'un siècle pour que Diderot, dans son *Paradoxe sur le comédien*, explique que le comédien fait semblant et crée *à partir de rien* le mal du personnage qu'il interprète. À sa mort, en 1673, Molière est enseveli dans le cimetière des enfants morts sans baptême.

Ce qui n'empêche pas le spectacle de théâtre de rencontrer un grand succès auprès de toutes les couches de la population.

LES FOURBERIES DE SCAPIN :
THÉÂTRE DE FOIRE, FARCE, COMÉDIE ?

L'accueil réservé aux *Fourberies* ne correspond ni à l'attente de Molière, ni au triomphe que connaîtra la pièce au cours des siècles suivants. Après quelques représentations bien reçues, la pièce ne retient plus l'attention et Molière la retire de l'affiche. Que s'est-il passé ? Ce qui nous plaît tellement aujourd'hui a sans doute surpris les spectateurs de cette époque :

« Dans ce sac ridicule où Scapin s'enveloppe,
Je ne reconnais plus l'auteur du *Misanthrope* »,

dira Boileau dans son *Art poétique*. *Les Fourberies de Scapin* sont en effet **un mélange de genres très divers** à une époque classique où l'on préférait des pièces plus homogènes. La pièce *Phormion* du poète latin Térence a fourni à Molière le conflit des pères et des fils et les reconnaissances finales ; la *commedia dell'arte* lui a légué d'abord le personnage même de Scapin (de l'italien *scappare*, *Scapino* signifie « celui qui s'échappe », par allusion à sa souplesse physique et morale), les effets de pantomime*, le goût du masque* et des maquillages (sourcils et moustache noirs) ; la farce française a donné les effets de comique gestuel, les quiproquos*, les allusions lestes ; enfin les *lazzi* (brèves bouffonneries verbales) et le choix de Naples comme lieu de l'histoire (choix utile pour toutes les allusions à la vie maritime et à la galère) renvoient à la comédie à l'italienne. C'est enfin à la grande comédie française que font penser certains aspects du caractère de Scapin, plus conscient, plus lucide, plus sceptique que ses prédécesseurs.

Tous ces aspects apparemment contradictoires ont pu surprendre les admirateurs de Molière, et ils expliquent probablement en partie le mouvement d'humeur de Boileau. Mais très vite *Les Fourberies de Scapin* sont reprises. Depuis lors, elles ont été traduites dans de nombreuses langues, et elles connaissent aujourd'hui encore un grand succès.

UNE ŒUVRE
DE SON TEMPS ?

Entre pères, fils et valets :
qui est Scapin ?

Les conflits entre pères et fils qui caractérisent à première vue *Les Fourberies de Scapin* sont de toutes les époques, et Molière n'a pas voulu faire œuvre d'historien en écrivant la pièce. Pourtant *Les Fourberies* sont une œuvre marquée par son temps : **l'intrigue** s'explique par une certaine conception de l'autorité des pères sur les fils, et elle contient aussi quelques échos assourdis de la vie de Molière ; **la conception du mariage** est marquée par le conflit entre les aspirations amoureuses et le poids de l'argent ; **les valets** enfin jouent un rôle important entre pères et fils. Il en découle une certaine interprétation du personnage de Scapin, qui marque la pièce de toute sa personnalité.

DES ÉCHOS DE L'ÉPOQUE

Les Fourberies de Scapin reposent sur des éléments traditionnels de la comédie : des fils amoureux, désobéissants, dépourvus d'argent, sont amenés à se rebeller contre leurs pères. Octave et Léandre aiment Hyacinte et Zerbinette, et l'un d'eux a même épousé celle qu'il aime sans le consentement paternel. Ce sont là des situations fréquentes chez Molière, qui s'expliquent par **le poids de l'autorité du père sur les enfants** : les fils, et encore moins les filles, ne peuvent se marier sans son accord. De plus, le mariage – au moins dans les milieux de la noblesse et de la bourgeoisie – est d'abord un accord financier que les familles jugent plus important que l'amour des jeunes gens. L'intrigue de bien des pièces de Molière repose sur cet état de choses.

Ces traits caractérisent aussi les débuts de la carrière théâtrale de Molière lui-même. Le jeune Jean-Baptiste Poquelin est devenu comédien parce qu'il était tombé amoureux d'une actrice ; en partant avec elle sur les routes, il s'est soustrait aux ambitions de son père qui voyait en lui son successeur dans l'office de tapissier du roi ; et son aventure sur les tréteaux de théâtre a été dans un premier temps si malheureuse que sa compagnie a fait faillite et qu'il a été emprisonné pour dettes. Ainsi ce n'est pas seulement Scapin qui a eu des « démêlés » avec la justice : même si ce n'est pas pour des raisons aussi graves que celles de son personnage, Molière connaît lui aussi fort bien le monde judiciaire (II, 5). D'autre part, il n'y a pas de mères dans la pièce, et la mort de la mère de Hyacinte est évoquée au premier acte ; faut-il aussi rattacher cette absence au fait que Molière a perdu très jeune sa propre mère ?

D'une façon générale, on ne peut voir dans *Les Fourberies* une œuvre autobiographique ; mais il est permis de penser que, pour faire parler des jeunes gens amoureux et sans le sou et un valet qui a eu maille à partir avec la justice, Molière a pu puiser dans ses propres souvenirs.

LES VALETS AU CŒUR DE LA PIÈCE

Des mères absentes, des pères odieux – Argante est toutefois plus humain que Géronte, dont les côtés jugés parfois monstrueux seront bien punis par Scapin –, mais surtout des pères eux aussi absents : pendant un certain temps **la surveillance des fils a été confiée aux valets**, à Scapin et à Sylvestre. Cette situation, qui est à la source de l'intrigue même, est courante à l'époque (nombre de fils ont été élevés par des domestiques ou ont voyagé avec eux), mais elle est exploitée ici sur le mode comique. Molière se sert en effet de l'ambiguïté de la situation : ces valets ne sont-ils pas forcément serviteurs de deux maîtres, le fils et le père, absent, mais redoutable ? Que faire quand les intérêts des deux maîtres sont en conflit ? Faut-il sans cesse s'opposer aux désirs des fils ? Et surtout, **que faire au retour du père** ? Il ne fait pas de doute que cette situation a été celle de beaucoup de spectateurs, auxquels elle rappelait des souvenirs personnels. Dans ses pièces (*Mithridate*, *Phèdre*), Racine raconte ce retour du père et lui donne une signification tragique* : quand il revient de voyage, le père tyrannique ramène ses enfants dans le devoir. Mais dans *Les Fourberies* Molière exploite ce thème dans le sens comique : comment les valets-gouverneurs se sortiront-ils et sortiront-ils leurs maîtres de l'impasse où les uns et les autres se sont mis ?

Dans *Les Fourberies*, les deux valets sont comme le double* l'un de l'autre, mais la façon différente dont ils agissent permet à Molière d'enrichir le personnage de Scapin par rapport à Sylvestre. Les deux valets se tirent d'affaire chacun à sa façon. Pour éviter les ennuis de son statut de valet partagé entre deux maîtres, Sylvestre intervient le moins possible. Plutôt que de participer à l'action, il la commente, souvent avec beaucoup de bon sens ; il regarde Scapin agir, mais c'est avec une certaine défiance et beaucoup d'inquiétude « pour ses épaules » ; il appréhende l'échec des « fourberies », et s'il agit dans la scène du spadassin dont il accepte de jouer le personnage, c'est, on l'a vu, à l'initiative de Scapin (II, 6). **Sylvestre est le type du valet ordinaire**, qui accepte l'autorité à laquelle il est soumis et qui ne cherche pas à jouer un rôle personnel et à exister par lui-même.

SCAPIN : REVIVRE SA PROPRE JEUNESSE ?

Scapin représente un valet bien différent. Loin de vouloir, comme Sylvestre, échapper à sa fonction ambiguë d'intermédiaire, il l'assume au point de jouer les grands frères. Pour répondre à la demande de ses maîtres, il choisit de jouer un rôle de jeune homme ; mais de façon très originale, il choisit de rejouer – de revivre ? – sa propre jeunesse. Grâce à ce choix, la position intermédiaire du valet entre pères et fils, qui n'était au départ qu'une convention de théâtre reprise de la vie même du XVIIᵉ siècle, devient une source de comique et, peut-être, de grand comique.

Scapin ne choisit pas d'être jeune à la façon d'Octave et de Léandre. Si Scapin est au service de Léandre et accepte d'aider Octave, il est clair qu'il le fait avec beaucoup de distance et de scepticisme et qu'il porte sur les deux jeunes gens un regard peu flatteur : il les voit tels qu'ils sont. Pouvons-nous croire qu'il désire réellement le bien de son jeune maître Léandre quand nous apprenons qu'il l'a plusieurs fois volé en abusant de sa confiance, et qu'il l'a rossé au moins une fois :

> SCAPIN. [...] Vous vous souvenez de ce loup-garou [...] qui vous donna tant de coups de bâton, la nuit, et vous pensa faire rompre le cou dans une cave où vous tombâtes en fuyant.
> LÉANDRE. Hé bien ?
> SCAPIN. C'était moi, Monsieur, qui faisais le loup-garou (II, 3).

Sylvestre aurait-il agi de même ?

Les pères sont des gêneurs et des tyrans odieux, mais aux yeux de Scapin les fils valent-ils beaucoup mieux ? Sympathiques au premier abord, insouciants et légers (« Ah ! mon pauvre Scapin, j'implore ton secours », II, 4), **Léandre et Octave ressemblent à leurs pères** : ils sont habitués à être obéis, ils sont facilement arrogants, ils paraissent attachés à l'argent ; et leurs amies s'interrogent sur la solidité de leurs sentiments... Ce n'est pas cette jeunesse que Scapin regrette, et ce n'est peut-être pas ce milieu qu'il admire.

En fait, pour aider ses jeunes maîtres tout en se vengeant des pères, le valet Scapin a choisi, pour quelques heures, d'agir comme quand il était jeune ; et c'est lui qui, contrairement aux apparences, devrait remercier Octave et Léandre pour l'occasion qu'ils lui donnent de jouer ce rôle. Pris entre les folies de pères odieux et les folies de fils insouciants et égoïstes, Scapin s'amuse à redevenir ce qu'il était jadis, à vivre à la limite des lois : « Le mérite est trop maltraité aujourd'hui, et j'ai renoncé à toutes choses depuis certain chagrin d'une affaire qui m'arriva [...], une aventure où je me brouillai avec la justice » (I, 2). Si Scapin accepte finalement de prendre le risque d'aider les jeunes gens, ce n'est pas pour l'argent, qu'il méprise, mais pour le cadeau que Léandre et Octave lui offrent sans même le savoir : **l'illusion de la jeunesse**.

Ce faisant, il s'oppose profondément à Géronte. En s'écriant « Que diable allait-il faire dans cette galère ? », le vieillard découvre rageusement qu'on ne peut récrire l'histoire, remonter le temps. Pour lui, il n'est plus possible de faire en sorte que Léandre ne soit pas allé dans cette galère ; il n'est pas de miracle pour effacer le passé. Pourtant, c'est ce miracle que Scapin s'offre à lui-même en revivant une dernière fois sa vie de jeune homme. Cet « habile ouvrier de ressorts et d'intrigues » qui s'admire lui-même quand il parle de son « noble métier », cet inventeur de « machines » va faire, et seulement pour lui-même, machine arrière…

Ces analyses donnent leur plein sens aux allusions sur le passé turbulent de Scapin, pour qui le terme de « galère(s) » semble avoir toute sa signification, à ses « démêlés » avec la justice. On comprend mieux aussi les mises en garde ou les rappels à la prudence de Sylvestre ; il semble connaître ce passé de Scapin, il en a gardé des souvenirs cuisants et il en tire des consignes de prudence et de circonspection : tout en admirant son brillant ami et en acceptant de l'aider (par exemple dans la scène du spadassin), il reste étranger à ses entreprises très personnelles dont il appréhende les conséquences, l'échec possible et les sanctions probables.

Quel est alors l'âge de Scapin ? Il est permis de voir en lui un homme d'une trentaine d'années, d'un âge intermédiaire entre celui des jeunes gens et celui des pères, Argante (avec qui il a une certaine complicité, notamment lorsque les deux hommes évoquent les anciennes amours d'Argante), et surtout Géronte (avec lequel il n'a rien en commun).

LA CRITIQUE SOCIALE DE L'AUTORITÉ

Au départ simple valet pris entre pères et fils, Scapin se distingue fermement de Sylvestre, mais aussi de tous les personnages de la pièce, parce qu'il ne joue pas le rôle qu'on attend de lui. En face des pères et des fils qu'il dénonce et auxquels il s'oppose, il peut d'abord apparaître comme un précurseur des penseurs critiques du XVIIIᵉ siècle ; en réalité, son analyse ne va pas jusque-là. Dans *Les Fourberies*, **Scapin est un individualiste en révolte contre toute autorité** : il s'oppose au pouvoir des pères, qu'il méprise jusqu'à leur dérober de l'argent, jusqu'à les battre ; mais il n'est pas pour autant du côté des fils, qu'il ne semble guère estimer et qu'il a déjà rossés. Aussi le metteur en scène Jean-Pierre Vincent a-t-il pu voir en Scapin non pas un révolutionnaire mais un anarchiste, un homme révolté moins contre la société que contre toute forme d'autorité.

Conformément à l'esprit du XVIIᵉ siècle et en héritage d'un long passé, la pièce analyse donc les rapports entre jeunes gens et vieux pères, **entre anciennes et nouvelles générations** ; mais ce qui est nouveau, c'est le regard porté sur un aspect de ce conflit, les relations traditionnellement difficiles entre maîtres et valets. Certes, il n'est pas possible de voir dans la révolte de Scapin une revendication qui serait politique et qui annoncerait de loin l'esprit de la Révolution de 1789. Scapin n'est pas le Figaro de Beaumarchais, car il ne fait pas la théorie de sa révolte. S'il dénonce la corruption de la justice, il ne va jamais jusqu'à dire que c'est la construction même de la société qui est fondée sur un système de valeurs illusoire et que les nobles se sont seulement donné « la peine de naître » – la question de l'aristocratie n'apparaît dans la pièce qu'en filigrane, à travers l'emploi perverti du mot *honneur*. Toutefois, cette révolte ne préfigure-t-elle pas les remises en question qu'un Marivaux fera passer dans son théâtre, au XVIIIᵉ siècle, à travers des situations similaires ?

On trouve la même incertitude à propos des personnages féminins. Les femmes, qu'il s'agisse des mères, des épouses ou des maîtresses, sont pratiquement absentes de la pièce. En tant que femmes du XVIIᵉ siècle, **elles n'ont guère de rôle à jouer dans ce conflit**, qu'il soit d'ordre social ou politique. Cependant, Zerbinette est, avec Scapin, la seule à s'opposer à Géronte : « Je ne vous connaissais que de réputation » (III, 10) est une formule à double sens qui n'est pas forcément une gaffe.

UN RENOUVELLEMENT DU THÉÂTRE

Comme Scapin revit ses années de jeunesse, Molière, qui ne se fait plus guère d'illusions sur sa santé, retrouve dans la farce et dans le personnage de Scapin le type de théâtre qu'il a connu au début de sa carrière, et il saisit cette occasion inespérée de revivre lui aussi sa propre jeunesse ; c'est pourquoi il revient au genre de la farce. Mais c'est une farce bien différente des farces d'autrefois, une farce prodigieusement enrichie de tout ce que Molière a appris depuis lors. Lorsque Scapin joue le metteur en scène (dans la scène avec Octave, I, 3 ; dans la scène du spadassin, II, 6), lorsqu'il joue l'acteur (dans la scène du sac, mais si souvent ailleurs), c'est Molière qui joue le metteur en scène et l'acteur à travers Scapin, **c'est Molière qui est Scapin** sans qu'on puisse bien les distinguer.

C'est là une nouvelle et très riche exploitation de ce **théâtre dans le théâtre** que le XVIIe siècle a tant aimé. Bien sûr, le plaisir du théâtre lui-même, c'est-à-dire le plaisir de *l'illusion comique*, de l'illusion de vérité et de réalité que donne le théâtre, est d'abord celui du spectateur des *Fourberies* ; il en est de même pour les effets de mise en abyme, dans les scènes où le spectacle en contient un autre (la scène où Scapin apprend à Octave à répondre à son père, II, 3 ; ou la scène du spadassin, II, 6). Mais ce ne sont pas seulement les spectateurs qui partagent ce plaisir d'un théâtre qui se distingue mal du réel : tout au long de la pièce, en faisant de Scapin un metteur en scène et un acteur, Molière est comme **un illusionniste qui voudrait abolir la différence entre le théâtre et la réalité**.

Pour Molière, *Les Fourberies* n'ont peut-être été qu'une pièce de circonstance, écrite très vite pour occuper une période creuse. On méconnaît pourtant la profondeur de cette pièce, et en particulier celle du personnage principal qu'est Scapin, si l'on n'y voit qu'une farce, un festival de coups de bâton. Certes, Molière s'est appuyé sur des données et sur des structures qu'il a tirées de son époque, celles du genre de la farce ; mais il a su leur apporter un enrichissement extraordinaire. On comprend ainsi pourquoi la conjonction de ces éléments a pu dérouter les contemporains (comme Boileau), et de nos jours donner lieu à des interprétations et à des mises en scène qui, sans trahir le comique des *Fourberies*, ont pu en laisser deviner le pathétique discret, celui d'un Molière qui laisse un testament. Pourtant, dans les dernières répliques, lorsque, « en attendant qu'[il] meure », il se fait porter en triomphe au banquet final, n'est-ce pas dans un grand éclat de rire que « Scapin-Molière » donne tout son sens à l'idéal du théâtre dans le théâtre ?

SENS DU COMIQUE – SENS DE L'HISTOIRE ?

Au fond, les ambiguïtés du personnage de Scapin – désintéressé mais égoïste, fourbe mais naïf, rebelle mais bien peu révolutionnaire… – et les paradoxes de la pièce dont il est le héros sont peut-être l'une des plus belles illustrations qui aient jamais été données de la nature contradictoire et finalement indéfinissable du comique. À un moment ou à un autre, il convient de se demander si le rire contribue à faire évoluer une situation ou si, au contraire, il la fige ; s'il est du côté des progressistes ou du côté des conservateurs. Mais cette question est probablement insoluble.

Au départ, certes, tout semble très simple, si l'on s'en tient à la distinction traditionnellement admise entre le comique et le tragique. Si le tragique est marqué par une lutte dont l'issue est déjà connue au départ et qui ne progresse que pour rejoindre implacablement une conclusion déjà écrite, le comique suppose, *a contrario*, **la possibilité d'une correction de trajectoire, la négation du destin, l'affirmation d'une liberté**. Le jaloux de tragédie, explique Bergson dans *Le Rire*, restera jaloux jusqu'au bout, même si on lui prouve l'inanité de sa jalousie : c'est que cette jalousie est en lui, *fait partie* de lui, et la seule façon pour lui de la faire disparaître sera de se faire disparaître lui-même. C'est l'histoire que Shakespeare raconte dans *Othello*. En revanche, la jalousie de comédie, n'étant pas inscrite dans la chair ni dans l'âme du personnage, peut être extraite de celui-ci.

Ce que résume la vieille formule antique : *Castigat ridendo mores.* La comédie punit les mœurs par le rire.

Mais punir, est-ce bien *corriger* ? Bergson encore nous explique qu'il serait naïf d'imaginer qu'Harpagon puisse, à l'issue de *L'Avare*, se défaire vraiment de son avarice. Simplement, ayant compris que ce trait de sa personne est condamnable, il essaiera désormais de le cacher.

Et c'est là que les ambiguïtés commencent : si, bien souvent, le rire touche au fond des choses, les modifications qu'il introduit peuvent se limiter à leur surface. Bergson voit dans la dissimulation future de sa propre avarice par Harpagon un progrès, mais on reconnaîtra que ce progrès est mince. On pourrait même se demander si ce ravalement de façade n'est pas un excellent moyen de garantir la pérennité des fondations de l'édifice. Car rire, c'est évidemment réagir contre une situation insupportable, mais c'est peut-être une réaction qui n'en est pas tout à fait une, dans la mesure où elle porte en elle-même la compensation de ce qu'elle condamne. C'est ainsi que Georges Duhamel a pu définir l'humour comme « la politesse du désespoir », autrement dit comme la seule attitude qu'on puisse avoir quand on se trouve dans l'incapacité d'agir vraiment face à une situation. Si c'est « pour rire », par définition ce n'est pas sérieux.

Rêvons donc, mais ne rêvons pas trop : à l'occasion du conflit entre les pères et les fils, Scapin trouve le moyen de réaliser ce qu'il faut bien appeler un miracle, puisque, comme on l'a dit, il retrouve sa jeunesse et remonte le temps. Mais nous sentons bien que, comme tous les miracles, un tel miracle n'aura lieu qu'une fois. Le destin ne sera pas toujours là pour tirer Scapin d'affaire en lui offrant un second miracle dont il n'est pas du tout responsable, à savoir l'identité parfaite des goûts amoureux des fils et des volontés de leurs pères. Soyons même plus pessimistes encore, peut-être : le voyage dans le temps de Scapin n'est possible que parce que, précisément, **il s'effectue dans un monde figé**, un monde *sans histoire*, dans lequel les fils ne font que reproduire l'image de leurs pères, et dans lequel le seul mérite de

Scapin sera d'être *resté* Scapin. Peut-être regagne-t-il si aisément sa jeunesse simplement parce qu'il n'a jamais su grandir…

En d'autres termes, *Les Fourberies* ne font rire que parce qu'**elles dissimulent ou ignorent une partie de la réalité**. Cette invraisemblance n'a d'ailleurs rien de nouveau ; elle est la rançon du comique, qui oublie ou néglige alors même qu'il révèle : « Il y a, écrit La Rochefoucauld, une infinité de conduites qui paraissent ridicules, et dont les raisons cachées sont très sages et très solides » (*Maximes*, 163).

La comédie après Molière essaiera de n'omettre aucune de ces « raisons cachées », en se faisant plus réaliste, plus complexe, plus nuancée. Mais du coup elle se fera moins drôle, pour se transformer quelques décennies plus tard en drame bourgeois. Marivaux fait sourire. Fait-il rire comme Molière pouvait faire rire ?

D'une certaine manière, il sera donc possible de voir dans *Les Fourberies* l'**un des derniers feux de la comédie classique**. Mais il n'est pas interdit d'y découvrir aussi l'une des premières lueurs de la comédie nouvelle. Si le décor n'est pas loin d'être imaginaire – Naples n'est mentionnée que pour justifier quelques péripéties –, il l'est comme peuvent l'être certaines îles dans des pièces de Marivaux, tout à la fois métaphores de la scène du théâtre et laboratoires dans lesquels la société est mise à l'épreuve. Libre à celle-ci, ensuite, de tirer ou non des conclusions de l'épreuve qu'elle a subie.

L'univers des *Fourberies* : un merveilleux pot-pourri, chargé d'ironie et d'humour

Les Fourberies surprennent par le prodigieux mélange des tons, des récits et des genres, par la variété des formes au service du ou des langages de Scapin et de Molière, toujours maître complet du jeu. C'est un écho des genres en faveur à l'époque, parfois de genres un peu démodés, déjà archaïques, mais c'est surtout une pièce extrêmement vive et rapide, que les acteurs doivent enlever avec brio. Si les premiers spectateurs n'ont pas fait un très bon accueil à la pièce, dès 1680 *Les Fourberies* ont connu le succès en partie pour ces aspects très originaux. Ce qui définit le plus nettement cette pièce, c'est son rythme endiablé.

DES FORMES LITTÉRAIRES BONDISSANTES

Parmi les diverses formes littéraires qui structurent le texte et qui lui donnent cet aspect essentiellement sonore et visuel, on peut retenir d'abord tout ce qui invite au rythme et à la danse.

Dès le début de la pièce, dans les répliques d'Octave et de Sylvestre alternent les simples réponses affirmatives (« oui ») et la reprise des derniers mots du jeune maître : « … Qu'il est arrivé ce matin même ? – Ce matin même » ; « … Avec une fille du seigneur Géronte ? – Du seigneur Géronte ». Ces reprises ne doivent pas être dites platement, mais comme en bondissant ; bien joué, ce début donne en fait son rythme à la suite de la pièce. Sans être à proprement parler des stichomythies (voir *Les termes de critique* p. 188), bien des répliques rapides de la pièce tendent vers le même but et doivent produire le même effet de rythme très rapide. Les plus célèbres de ces répliques sont peut-être celles du dialogue entre Scapin et Géronte (fin de l'acte II, scène 7) :

GÉRONTE. Mais dis à ce Turc que c'est un scélérat.
SCAPIN. Oui.
GÉRONTE. Un infâme.
SCAPIN. Oui
GÉRONTE. Un homme sans foi, un voleur.

Il ne faut surtout pas séparer ces répliques accélérées des jeux de scène qui les accompagnent (Géronte retient la bourse, Scapin tend la main). Tout cela doit être joué très vite.

La description des mœurs judiciaires (II, 5) en constitue un autre exemple. Scapin entretient avec Argante des relations moins mauvaises qu'avec Géronte, et il lui tient un discours très différent : c'est une tirade marquée par toute une rhétorique ; elle accumule sur Argante une série de coups qui, pour n'être pas physiques, n'en sont pas moins cruels grâce à l'énumération cumulative des dangers courus. Ainsi, Scapin répète à cinq reprises « Il vous faudra de l'argent. Il vous en faudra… », et à chaque fois s'allonge la liste des occasions de dépenses. L'effet d'inquiétude produit sur Argante est immédiat (il faut imaginer la gestuelle de ce dernier), aggravé par l'emploi de termes techniques aux sonorités barbares. Ce comique de répétition se retrouve bien sûr à propos de la célèbre réplique « Que diable allait-il faire dans cette galère » (II, 7), ou dans l'évocation répétée de ces « malheureux coups de bâton que… » (III, 13).

LA GESTUELLE DE LA DANSE

À côté de ces jeux de langage se manifeste une gestuelle de la danse. C'est dans cette perspective qu'il faut examiner la place privilégiée des coups de bâton dont il est si souvent question. Dès la première scène, lorsque Octave craint de « voir fondre sur [lui] un orage soudain d'impétueuses réprimandes », en écho amusé ou inquiet Sylvestre reprend et développe autrement cette métaphore de l'orage : il voit « se former de loin un nuage de coups de bâton qui crèvera sur [ses] épaules ». Scapin a déjà rossé son jeune maître Léandre en se déguisant en loup-garou. Et c'est Géronte qui recevra la fameuse volée de coups.

Ces coups de bâton sont un héritage de la farce, mais ils font surtout écho à cette rythmique de la pièce, ils l'expriment un peu comme les baguettes d'un tambour, dont le roulement continu entraînerait les acteurs. Dans d'autres pièces, Molière fait appel à la musique de Lulli, parfois à la musique de cour : ici, il s'agit d'une musique de marche, d'une musique à danser, très populaire. C'est ainsi que les coups de bâton, par-delà leur rôle farcesque évident, évoquent aussi un instrument de percussion et de rythme (peut-être l'épée, elle aussi, joue-t-elle un rôle similaire, II, 3). Toutes ces scènes sont des sortes de ballets (ainsi lorsque Sylvestre déguisé en spadassin danse sur la scène, ou bien lorsque Argante se cache derrière Scapin, II, 6), voire des parodies* de ballets de cour ; et pour cette raison, s'il est une pièce qui doit absolument être *vue*, c'est bien celle des *Fourberies*.

Les Fourberies sont ainsi une pièce à la gloire du corps, de la pantomime et du geste ; du triomphe d'un corps souple, agile, du corps d'un acrobate et d'un saltimbanque. Sans aucun doute cet aspect a gêné les esprits austères de l'époque, qui ont pu n'y voir que la reprise des aspects les plus populaires de la *commedia dell'arte* si souvent méprisée. Mais notre époque au contraire y trouve une des grandes originalités de Molière, peut-être ce qui fait des *Fourberies* une vraie et grande comédie.

RÉCITS ET LANGAGE PRÉCIEUX : DES RALENTISSEMENTS DU RYTHME

On trouve une confirmation indirecte de ce rythme exigeant et soutenu (« endiablé », au sens propre du terme si l'on en croit les adversaires de la pièce) dans les moments de calme qui, à intervalles réguliers, offrent des temps de pause et scandent ces gambades et ces mouvements épuisants pour le spectateur, voire pour les acteurs ou pour Molière lui-même.

Ce sont d'abord les récits, nombreux dans cette courte pièce. Il y a ainsi le récit d'Octave sur les débuts de son amour (I, 2), les récits de Scapin sur ses fourberies précédentes (II, 3), sur sa visite au pseudo-spadassin (II, 5), sur l'enlèvement de Léandre (II, 7), le récit de Zerbinette (III, 3). Trois de ces récits sont faits par Scapin, décidément présent sur tous les fronts, mais avec alors plus de calme. Ces récits sont tous romanesques, c'est-à-dire qu'ils rapportent des aventures extraordinaires et à la limite du vraisemblable. En 1671, cependant, ils rappellent une esthétique du roman baroque qui commence à se démoder. C'est alors à d'autres exigences que satisfont ces passages : tout en s'accordant des pauses, et en permettant aux spectateurs de souffler, Molière propose peut-être ces récits et ces tons vieillis avec un sourire ironique ; dans la mesure où ils sont prononcés par des jeunes gens, ils ne peuvent relever que de la parodie.

Poursuivant ses attaques lancées dans *Les Précieuses ridicules* et annonçant celles des *Femmes savantes*, Molière étend la parodie au langage précieux. S'il n'a sans doute jamais condamné les idées qui ont été, au milieu du siècle, à l'origine de la préciosité* (c'est-à-dire la volonté des femmes de ne plus être considérées comme des objets dans les rapports amoureux, et leur désir de s'élever au-dessus de la vulgarité), l'écrivain qu'il était ne pouvait pas ne pas railler les excès qu'un tel mouvement avait pu entraîner dans le langage. Certaines images de la première conversation amoureuse de Hyacinte et d'Octave ne peuvent décemment être prises au sérieux par le spectateur : « vos larmes me tuent, et je ne puis les voir sans me sentir percer le cœur », « les ardeurs que les hommes font voir sont des feux qui s'éteignent aussi facilement qu'ils naissent » (I, 3).

Tout cela montre à quel point *Les Fourberies* reprennent et enrichissent des éléments issus de genres mineurs. Certains critiques ont été tentés de voir dans tant de gaieté et de vitalité un moyen pour Molière malade d'oublier la menace de la mort ; mais peut-être est-ce parce que nous connaissons la suite de l'histoire...

RICHESSE DU THÈME DU COUPLE ET DU DOUBLE

La présence de personnages ou d'éléments parallèles qui s'éclairent l'un l'autre est constante dans *Les Fourberies*. Elle en nourrit la profondeur. On a déjà rencontré le couple Scapin-Sylvestre. Le premier est le valet conscient, sceptique, amusant ; le second est plus ordinaire et plus commun. En un sens, l'un est **le double de l'autre**, chacun avec ses spécificités qui font valoir celles de l'autre.

Ce couple s'inscrit dans l'ensemble plus vaste des deux familles autour desquelles s'organise l'intrigue.

Géronte	Argante
Léandre	Octave
Hyacinte	Zerbinette
Scapin	Sylvestre

Le parallélisme est poussé par Molière assez loin : les deux pères sont odieux, les deux fils sont amoureux et faibles, les deux jeunes filles sont charmantes ; on connaît les deux valets. Les deux familles se présentent ainsi comme des doubles l'une de l'autre.

En fait, ces deux familles sont (à l'exception des jeunes filles Hyacinte et Zerbinette) construites en écho et en contraste discret mais net ; **la famille d'Argante est, en plus fade, à l'image de la famille de Géronte**. Géronte, qui fait passer son argent avant son fils et qui semble ignorer tout sentiment paternel, est plus odieux qu'Argante ; celui-ci est tyrannique (comme beaucoup de pères chez Molière), mais il reste accessible à l'humanité et Scapin peut évoquer avec lui les fredaines de la jeunesse – ce qui semble inimaginable avec Géronte. Les deux pères sont ainsi sensiblement différents l'un de l'autre. Il en est de même des fils. Octave est faible devant son père comme devant l'autorité légitime, et il fuit à son arrivée de la façon la plus amusante ; mais il reste sympathique et se comporte avec dignité dans la scène avec Léandre. Celui-ci, en revanche, manifeste peu de dignité lorsqu'il a besoin de Scapin, jusqu'à en paraître lâche : « Ah ! mon pauvre Scapin, j'implore ton secours ! ». Scapin n'a pour lui que mépris ; non content de l'avoir rossé, comme il l'a rapporté, il attend ici bien longtemps avant de dire « Levez-vous ! » à celui qui est pourtant son maître. Quant à Scapin, il est en noir ce que Sylvestre est en gris. Bref, la peinture menée en parallèle des deux familles permet de considérer la famille de Géronte (à l'exception de Hyacinte et de Zerbinette, répétons-le) comme une famille moins sympathique que l'autre, plus méchante, plus noire, et Scapin en fait finalement son jouet. Plus que celle d'Argante, cette famille à laquelle se rattache Scapin est à l'origine des effets comiques les plus accusés : qu'il s'agisse du fils Léandre ou du père Géronte, l'un et l'autre sont proprement rossés par le valet, nettement plus réservé avec les membres de la famille d'Argante.

L'interprétation de ces familles parallèles est difficile, mais peut-être faut-il faire ici intervenir les deux jeunes filles. Hyacinte, si douce et si féminine, si lucide aussi sur les hommes, est, curieusement, la fille de Géronte : elle est destinée à Octave, falot et aimable. Quant à Zerbinette, si vive, si gaie, et si bavarde, elle est promise à Léandre. C'est comme un rééquilibrage qui s'opère entre les deux familles dans la nouvelle génération.

AUTRE FORME DU THÈME DU DOUBLE : LE SAC DE SCAPIN

Le thème du double prend sa pleine signification dans le lien qui unit Scapin et Molière, lien dont l'accessoire du sac semble l'emblème.

Boileau déplorait le recours au sac, et la fonction de cet accessoire a été souvent analysée et commentée. Car ce sac est un symbole ; Scapin est par définition l'homme qui a plus d'un tour dans son sac. Par rapport à l'intrigue même, le sac a deux fonctions. Il signifie d'abord que Scapin réussit, l'espace de quelques minutes, à faire disparaître Géronte comme un prestidigitateur fait disparaître un animal, et il réalise symboliquement le désir à la fois du fils et du valet **de se libérer d'un père tyrannique et d'un maître odieux**. C'est un retour symbolique au début de la pièce, lorsque le père était absent et ne gênait ni Scapin, ni Léandre.

Une seconde signification est d'ordre moral et comique. Qu'est-ce que ce sac, sinon une **autre forme de la bourse pleine d'argent** que Scapin a eu tant de mal à arracher à Géronte (dans certaines mises en scène, cette bourse est attachée au vêtement de Géronte pour souligner l'attachement excessif du vieillard à l'argent) ? Suivant le mouvement de « l'arroseur arrosé », traditionnel en comédie, Géronte est puni par où il a péché : puisqu'il ne rêve qu'à l'argent qu'il conserve si précieusement dans sa bourse, qu'il soit enfermé et battu dans la bourse qu'est le sac. Faut-il même dire qu'en l'enfermant dans ce sac, Scapin condamne symboliquement Géronte à la mort ? S'il en est ainsi, on comprend mieux la force de la réponse de Géronte, qui a su mesurer le risque encouru : « Je te pardonne à la charge que tu mourras ».

Enfin, une dernière interprétation du sac invite à voir dans la salle de théâtre elle-même une sorte de sac gigantesque où les spectateurs sont enfermés. L'ensemble du théâtre est alors un sac par rapport au monde extérieur, et dans ce sac les spectateurs éprouvent sur le mode symbolique les aventures imaginaires que rapporte la pièce. On aurait là, une fois encore, l'illustration du fait que *Les Fourberies*, loin d'être une simple farce, peuvent être lues comme **une image même du théâtre dans le théâtre**, de *l'illusion comique* grâce à laquelle la représentation théâtrale et la réalité du monde ne sont pas si distinctes l'une de l'autre.

Ainsi, que ce soit par le rythme des *Fourberies*, par les formes et les jeux du langage, par la gestuelle et les effets de mise en scène, ou par le jeu des doubles divers qui organisent la pièce, c'est toujours au personnage de Scapin joué par l'acteur Molière que l'on est ramené. Il est au cœur de la comédie.

Il y a comme une ambiguïté des *Fourberies*, ambiguïté comparable à celle des pièces reconnues comme de grandes comédies, *Le Misanthrope* ou *Tartuffe*, par exemple. Derrière la variété des registres, l'enthousiasme débridé, l'amour et la puissance de la vie, la multiplicité des formes d'un comique qui depuis trois siècles fait rire les spectateurs, apparaît un saltimbanque riche et profond ; autant qu'un acteur, Scapin est un personnage qui exprime, outre une discrète revendication sociale, les interrogations d'un homme, Molière, au soir de sa vie.

Mais ces riches arrière-plans ne doivent pas faire oublier que *Les Fourberies* sont d'abord **la pièce de la gaieté, des cris, des bonds et des danses**. C'est aussi une pièce où, derrière Scapin, Molière affirme, dans un éclat de rire, la primauté de la vie sur toutes les contraintes et les servitudes : « En attendant que je meure » (puisqu'il faudra mourir, mais le plus tard possible), « qu'on me porte au bout de la table », au festin de la vie.

OMBRE ET LUMIÈRE : *LES FOURBERIES*, PIÈCE BAROQUE

Il faut se garder de mettre le mot *baroque** à toutes les sauces, mais *Les Fourberies de Scapin* font indubitablement partie des pièces de Molière – *Amphitryon* et *Dom Juan* étant les deux autres qui s'imposent immédiatement à l'esprit – qui reflètent « l'esprit baroque ».

Rappelons qu'il est difficile de définir le baroque dans la mesure où aucun auteur baroque ne s'est jamais défini comme tel. Les romantiques ont pu proclamer eux-mêmes leur romantisme ; le terme *baroque* a été, quant à lui, appliqué après coup à une période dont les limites ne sont pas toujours précisément établies. Mais ce flou même s'inscrit dans l'âme de ce genre qui n'est pas un genre.

Historiquement, on trouve à l'origine du baroque **une donnée politique et une donnée religieuse**. La première touche à la manière dont, à partir du XVIe siècle, le pouvoir ne se contente plus d'être ; il entend aussi passer par des représentations. François Ier s'entoure d'artistes pour étendre son prestige : ses victoires militaires ne lui suffisent pas ; il lui faut en plus un décorum. Il lui faut un « drap d'or », une cour avec des peintres, des poètes et des architectes… Une première semence du baroque germe ici : l'être devient indissociable du paraître.

Du point de vue religieux, le début du XVIᵉ siècle est marqué par l'avènement du protestantisme, qui « proteste » contre la trop grande place accordée par l'Église à tout ce qui relève justement du paraître. Calvin et Luther entendent revenir à l'esprit de la Bible et réclament un culte dépouillé, dans des temples sans images ni décoration ostentatoire. Cette remise en question conduit l'Église catholique à organiser le concile de Trente (du nom de la ville italienne où il se tint), qui se déroula sur plusieurs décennies. À l'issue de celui-ci, tout en définissant sur certains points une politique de rigueur inspirée par la contestation des protestants, l'Église confirme la validité des *images* dans la pratique du culte.

S'introduit dans les arts à partir de cette période **tout un jeu sur l'illusion**, sur l'incapacité de distinguer le vrai du faux, qui constitue le cœur de l'esthétique baroque. Esthétique de la déstabilisation : le classique aime l'équilibre, le baroque aime le mouvement ; le classique sépare nettement l'ombre de la lumière, le baroque se complaît dans le clair-obscur ; le classique aime les verticales et les horizontales, le baroque a un faible pour les lignes obliques ; les héros classiques savent ce qu'ils veulent, les héros baroques ne savent même pas qui ils sont. Au théâtre, lieu par excellence des perspectives sans fin, le spectateur doit se laisser emporter par une espèce de vertige – ici, celui des pirouettes de Scapin, de son langage à double sens, de sa situation étrange de valet jouant en grande partie le rôle d'un maître. La figure la plus marquante du baroque dans la pièce est celle du théâtre dans le théâtre, qu'on a déjà mentionnée, Scapin étant comme une projection de Molière capable de mettre en scène, parfois avec leur consentement, mais parfois aussi à leur insu, les personnages qui l'entourent, et de révéler du même coup des facettes insoupçonnées de leur personnalité. Déguisé en spadassin, Sylvestre fait éclater une assurance que ses réflexions prudentes et mesurées n'auraient jamais laissé supposer. Inversement, la « répétition générale » à laquelle est soumis Octave au cours de l'acte I a pour effet de développer son inquiétude et sa couardise.

Toutes ces confusions peuvent être envisagées comme un simple jeu intellectuel, et le système de duplication de tous les personnages (deux pères, deux fils, deux valets…), qui fait qu'il est bien difficile d'éviter certaines confusions lors d'une première lecture, peut relever du très classique comique de répétition. Mais il y a dans ces vacillements perpétuels une réflexion sur l'identité même des êtres qui font que divers critiques ont pu comparer Molière à Shakespeare. *To be or not to be…* Beaucoup de personnages de Molière s'efforcent de révéler deux aspects en même temps, contradictoires – d'être médecins malgré eux, d'être femme et savante, d'être bourgeois et gentilhomme, d'être malade, mais imaginaire… Le rire, du coup, n'est pas loin d'être métaphysique, et, à un niveau concret, il contribue à remettre en cause la légitimité des pouvoirs établis. Sans exiger leur abolition, il laisse entendre qu'ils pourraient être entre d'autres mains. Et, on l'a vu, même la distinction entre la vie et la mort se fait, dans la dernière scène, moins définitive, certains allant jusqu'à dire – mais c'est peut-être aller chercher bien loin… – que la dernière scène des *Fourberies* pourrait bien être une Cène…

LA STRUCTURE
DES *FOURBERIES DE SCAPIN*

ACTE	SCÈNE	PERSONNAGES	SUJET DE LA SCÈNE
ACTE I	Scène 1	Octave, Sylvestre	Octave apprend par Sylvestre que son père est de retour et entend le marier.
	Scène 2	Scapin, Octave, Sylvestre	Octave raconte à Scapin qu'en l'absence de son père, il s'est marié à Hyacinte, et que son ami Léandre, fils de Géronte, est tombé amoureux d'une jeune Égyptienne.
	Scène 3	Hyacinte, Octave, Scapin, Sylvestre	Hyacinte et Octave implorent Scapin de leur venir en aide. Scapin accepte.
	Scène 4	Argante, Scapin, Sylvestre	Seul face à Argante, Scapin défend la cause d'Octave. Mais Argante reste décidé à faire annuler le mariage.
	Scène 5	Scapin, Sylvestre	Scapin déclare à Sylvestre qu'il a déjà un plan. Sylvestre devra se déguiser en « méchant garçon ».
ACTE II	Scène 1	Géronte, Argante	Géronte apprend d'Argante que son propre fils, Léandre, s'est mal conduit.
	Scène 2	Léandre, Géronte	Géronte rencontre son fils Léandre, qui se défend maladroitement.
	Scène 3	Octave, Scapin, Léandre	Léandre insistant pour qu'il avoue son crime, Scapin avoue trois crimes, mais se déclare innocent de celui dont on l'accuse.
	Scène 4	Carle, Scapin, Léandre, Octave	Carle annonce à Léandre qu'il doit verser une rançon pour ne pas perdre Zerbinette. Désespéré, Léandre implore alors l'aide de Scapin.
	Scène 5	Argante, Scapin	Scapin commence par Argante. Il invente un frère de Hyacinte, spadassin, qui n'accepterait de voir le mariage de sa sœur annulé que si on lui offre deux cents pistoles. Argante refuse.
	Scène 6	Sylvestre, Argante, Scapin	Arrive le spadassin en personne – Sylvestre déguisé. Argante donne les deux cents pistoles.

ACTE	SCÈNE	PERSONNAGES	SUJET DE LA SCÈNE
ACTE II	Scène 7	Géronte, Scapin	Scapin s'attaque alors à Géronte. Il lui raconte que son fils vient d'être enlevé par des Turcs, qui ne le restitueront que contre une rançon de cinq cents écus. Géronte finit par céder.
	Scène 8	Octave, Léandre, Scapin	Scapin retrouve Octave et Léandre et leur annonce qu'il a accompli sa mission.
ACTE III	Scène 1	Zerbinette, Hyacinte, Scapin, Sylvestre	Zerbinette et Hyacinte discutent sur la condition des femmes, mais Scapin se sépare du groupe pour aller goûter le plaisir de sa vengeance.
	Scène 2	Géronte, Scapin	Scapin suggère à Géronte d'échapper à la fureur du spadassin en se cachant dans un sac. Le valet roue de coups son maître, mais, celui-ci découvrant la traîtrise, il doit s'enfuir.
	Scène 3	Zerbinette, Géronte	Zerbinette raconte à Géronte, dont elle ignore l'identité, comment Scapin lui a volé son argent.
	Scène 4	Sylvestre, Zerbinette	Sylvestre révèle à Zerbinette l'identité de l'homme à qui elle vient de parler.
	Scène 5	Argante, Sylvestre	Après Géronte, Argante exprime son intention de se venger des fourberies dont il a été victime.
	Scène 6	Géronte, Argante, Sylvestre	Argante et Géronte réaffirment leur ressentiment. Aux tourments de Géronte s'ajoute la crainte que sa fille n'ait péri dans un naufrage.
	Scène 7	Nérine, Argante, Géronte, Sylvestre	Nérine, la nourrice de Hyacinte, explique à Géronte que, sous la pression des événements, elle vient de marier la jeune fille à… Octave !
	Scène 8	Scapin, Sylvestre	Sylvestre informe Scapin des derniers développements de la situation et le met en garde.
	Scène 9	Géronte, Argante, Sylvestre, Nérine, Hyacinte	Géronte se réjouit de retrouver sa fille.
	Scène 10	Octave, Argante, Géronte, Hyacinte, Nérine, Zerbinette, Sylvestre	Argante explique à Octave que la fille de Géronte qu'on voulait lui faire épouser n'est autre que Hyacinte. Mais Géronte continue de s'opposer au mariage de Léandre avec Zerbinette.

ACTE	SCÈNE	PERSONNAGES	SUJET DE LA SCÈNE
ACTE III	Scène 11	Léandre, Octave, Hyacinte, Zerbinette, Argante, Géronte, Sylvestre, Nérine	Argante reconnaît en Zerbinette sa propre fille.
	Scène 12	Carle, Léandre, Octave, Géronte, Argante, Hyacinte, Zerbinette, Sylvestre, Nérine	Carle annonce que Scapin vient d'être victime d'un accident mortel.
	Scène 13	Scapin, Carle, Géronte, Argante, etc.	C'est en fait une nouvelle fourberie qui permet au valet d'arracher le pardon d'Argante et de Géronte.

On aura à l'esprit que, malgré ses treize scènes, l'acte III n'est pas plus long que chacun des deux premiers actes. Certaines de ses scènes se limitent en effet à quelques répliques entre deux personnages qui se croisent.

LES PERSONNAGES EN PRÉSENCE

1. Quand Scapin est-il le plus présent sur la scène ? Quand est-il totalement absent ? Pourquoi ?

2. Quel est le personnage de la pièce présent dans le plus grand nombre de scènes ? Peut-on dire pour autant qu'il parle beaucoup ?

3. Quelle remarque faites-vous sur l'évolution du nombre moyen de personnages présents sur la scène au fur et à mesure que la pièce avance ? Qu'en déduisez-vous ?

LES COUPLES EN PRÉSENCE

4. À partir du tableau qui précède, vous établirez un tableau de présence pour les couples de personnages, dont voici le modèle pour l'acte I :

	ACTE I				
Scène	1	2	3	4	5
Valets	•	•	•	•	•
Pères					
Fils	•	•	•		
Filles			•		

Quel est le couple qui occupe le plus la scène dans l'ensemble de la pièce ? Qu'en déduisez-vous ?

5. Quel est le couple le moins présent ? Qu'en déduisez-vous ?

6. Faites une étude comparative de la ligne des pères et de celle des fils. Qu'en déduisez-vous sur les rapports entre les pères et les fils ?

LES THÈMES

L'AMOUR

L'amour est le moteur de la pièce – c'est parce qu'il est tombé amoureux de Hyacinte qu'Octave l'a épousée sans même en parler à son père –, mais ce sentiment ne va pas sans une certaine ambiguïté chez la plupart des personnages.

D'abord, il est clair que, dans l'esprit des pères, l'amour n'a rien à voir avec le mariage. Argante reconnaît, lorsque Scapin le lui rappelle, qu'il a fait en son temps des « fredaines » comme les autres jeunes hommes, mais il précise qu'il s'en est toujours tenu à la galanterie. **Le fondement du mariage, c'est l'intérêt financier.** Parallèlement, Scapin laisse entendre que Léandre n'est pas le fils de Géronte (II, 4). Cette allusion peut indiquer que les rapports entre les parents du jeune homme n'ont pas dû être marqués par une profonde affection. Géronte réagit-il, d'ailleurs, quand Nérine lui apprend la mort de sa seconde femme (la mère de Hyacinte) ?

La part des sentiments est incontestablement plus forte chez les jeunes gens. Mais là encore, ni Léandre ni Octave n'envisagent un seul instant de vivre « d'amour et d'eau fraîche ». Il leur faut de l'argent ; c'est même sur cette nécessité qu'est construit l'acte II. Si Octave et Hyacinte expriment sans doute une émotion véritable (I, 3), ce n'est pas le cas de Léandre et Zerbinette. Zerbinette, à vrai dire, ne se fait guère d'illusions sur l'amour de son futur mari. Elle sent que celui-ci est le fils de son père dans sa conception du mariage, et elle lance un véritable cri de révolte lorsqu'elle déclare à Scapin : « Ton maître s'abusera s'il croit qu'il lui suffise de m'avoir achetée pour me voir toute à lui » (III, 1).

LE DESTIN

On peut ne voir dans le « Que diable allait-il faire dans cette galère ? » de Géronte qu'un refrain visant à faire rire ; mais une simple répétition peut-elle être en soi comique ? De fait, Géronte prononce cette phrase quand le dialogue l'accule dans une impasse, chaque fois qu'il se rend compte que l'échange qu'il envisageait (Scapin à la place de son fils, des vêtements à la place de la rançon…) est impossible.

D'une certaine manière, il sait qu'il a perdu. Mais s'il ne peut plus changer les choses, il ne peut s'empêcher d'analyser rétroactivement la manière dont elles se sont déroulées. Géronte réagit comme un joueur d'échecs vaincu qui refait mentalement sa partie « à l'envers » pour essayer de retrouver le moment précis où il a basculé vers la défaite. Scapin, qui pourtant ne cesse de contredire Géronte dans cette scène, est bien obligé de répondre « Cela est vrai » quand celui-ci s'exclame : « N'y avait-il pas d'autre promenade ? »

Ce thème du **cours irréversible des événements** est annoncé au moins deux fois avant le « Que diable allait-il faire dans cette galère ? » : dans les premières scènes de l'acte I et de l'acte II, on s'interroge sur le moment où l'histoire pouvait encore bifurquer. « C'est à quoi vous deviez songer avant que de vous y jeter », fait remarquer Sylvestre à Octave, lorsque celui-ci souligne « l'embarras où [il] se trouve » (I, 1). Géronte remonte beaucoup plus loin dans le temps ; il explique à Argante que « les mauvais déportements des jeunes gens viennent le plus souvent de la mauvaise éducation que leurs pères leur donnent » (II, 1).

Que fait-on face à un événement qui a déjà eu lieu et qui, par définition, ne peut-être effacé ? Cette question détermine dans *Les Fourberies* une ligne de partage assez nette entre les personnages. Géronte et son fils Léandre (qui se ressemblent en fait beaucoup) s'inclinent devant l'événement. Argante et Octave (qui eux aussi se rejoignent par-delà leurs oppositions) estiment que rien n'est jamais totalement joué : « Je vais aviser des biais que j'ai à prendre », déclare Argante, convaincu qu'il pourra faire annuler le mariage de son fils (II, 1). « Non, vous dis-je, mon père, je mourrai plutôt que de quitter mon aimable Hyacinte », lui répond Octave (III, 10).

C'est évidemment chez Scapin qu'on trouve la théorie la plus élaborée de cet optimisme : « Je hais ces cœurs pusillanimes qui, pour trop prévoir les suites des choses, n'osent rien entreprendre », jette-t-il, non sans mépris, au trop prudent Sylvestre (I, 3). Mais cet optimisme est relatif, dans la mesure où c'est celui d'un homme qui n'a plus rien à perdre, comme le prouve la réplique mi-sincère, mi-ironique qui conclut l'acte I : « Trois ans de galère de plus ou de moins ne sont pas pour arrêter un noble cœur ». C'est en fait l'optimisme d'un homme qui se permet de jouer avec le destin parce qu'il en sait la toute-puissance.

LA GALÈRE

Ce n'est pas par hasard que Scapin invente l'histoire de la galère turque à propos de Léandre. Il est allé la chercher dans ses propres souvenirs, puisque lui-même a été galérien (I, 5). Jusqu'au XIXe siècle, les rameurs des navires étaient le plus souvent des condamnés. Quant aux galères turques, elles ne s'expliquent pas seulement par la mode des « turqueries » à l'époque de Molière (voir *Le Bourgeois gentilhomme*). La Méditerranée a longtemps été sillonnée par des pirates turcs (les « barbaresques ») qui utilisaient comme rameurs les hommes qu'ils capturaient.

LE MARIAGE

La conception du mariage qui apparaît dans *Les Fourberies* date déjà d'un autre âge au moment où Molière écrit sa pièce. Au XVIe siècle en effet, la validation du mariage peut se faire auprès d'instances suffisamment variées – Église, notaire, familles – pour qu'un jeune homme et une jeune fille puissent se marier sans le consentement de leurs pères. L'échange d'un simple objet entre les futurs époux, même sans témoins, peut dans quelques provinces avoir une certaine valeur officielle. Au XVIIe siècle en revanche, siècle de Molière, sous la pression des familles aristocratiques qui veulent éviter les « déportements » éventuels de leurs enfants, le pouvoir royal et l'Église décrètent qu'un mariage n'existe juridiquement que s'il est consigné dans les registres paroissiaux. En outre, l'âge de la majorité pour le mariage est porté en général (car il n'est pas le même suivant les provinces) de vingt-cinq à trente ans pour les hommes. Il est bien difficile d'imaginer qu'Octave puisse avoir trente ans, et plus encore qu'il ait pu trouver un prêtre assez laxiste pour bénir son mariage avec Hyacinte.

LA PATERNITÉ

Bien évidemment, comme nous l'avons déjà vu dans la rubrique *Une œuvre de son temps ?* (voir p. 126), toute l'intrigue des *Fourberies* est construite sur un conflit entre des fils et leurs pères – la « fâcheuse nouvelle » évoquée par Octave dès la première réplique est « que [s]on père revient » –, mais la question de la paternité connaît à travers la pièce différents échos qui peuvent renvoyer à Molière lui-même. Les deux jeunes filles, par exemple, retrouvent à la fin leurs pères en la personne des deux vieillards : ces deux « reconnaissances » – et bien d'autres du même type qui concluent diverses comédies du XVIIe siècle – sont peut-être déjà presque aussi *romanesques* à l'époque qu'elles nous semblent l'être aujourd'hui, mais elles s'inscrivent dans un contexte où ce que nous nommons « l'état civil » est l'affaire de curés de village qui ne tiennent pas toujours leurs registres avec une grande rigueur et où un individu peut très bien ne pas avoir d'*identité* précise ; la troupe de Molière nous en fournit une preuve, avec cette Armande Béjart dont on ne saura jamais si elle était sœur ou fille de Madeleine Béjart…

Au-delà de ces questions de paternité biologique, il y a celle de la **paternité littéraire**, qu'on peut sentir à travers l'architecture même des *Fourberies*. A priori, Jean-Baptiste Poquelin a été tout le contraire d'Octave et Léandre. Contrairement à ces deux garçons qui font tout pour s'emparer de la fortune de leurs pères, il a pour sa part précisément refusé le confort matériel que son père lui offrait. Il a dédaigné la charge de tapissier dont il pouvait tranquillement hériter ; il a préféré aller vivre sa vie avec une troupe de théâtre, cesser d'être Poquelin pour devenir Molière. Mais il acquiert cette indépendance en contractant différentes dettes littéraires. Certes, il n'est guère d'écrivain qui ne s'inspire des œuvres de ses prédécesseurs – ce processus est même sans doute l'une des conditions nécessaires de toute production littéraire –, et l'on perd son temps à vouloir établir la liste complète de toutes les influences de Molière dans les *Fourberies*. Mais deux des moments les plus marquants de la pièce, à savoir la scène de la galère (voir *D'autres textes*, p. 161) et la « mort » de Scapin, sont empruntés à l'œuvre et à la vie même de Cyrano de Bergerac (voir p. 174).

Dans la scène de la galère, Scapin parvient enfin à convaincre Géronte de donner son argent lorsqu'il prétend que c'est lui, le valet, qui nourrit à l'égard de Léandre les sentiments paternels que Géronte n'a pas : « Hélas, mon pauvre maître [...], le Ciel me sera témoin que j'ai fait pour toi ce que j'ai pu, et que si tu manques à être racheté, il n'en faut accuser que le peu d'amitié d'un père ». Ne peut-on pas entendre ici Molière justifiant inconsciemment son emprunt, ou plutôt son plagiat, en vertu du principe selon lequel cette scène de la galère sera mieux mise en valeur – moins « orpheline » – dans ses *Fourberies* que dans *Le Pédant joué* de Cyrano ?

L'histoire, on le sait, a donné raison à Molière. Cependant, ne parvenant peut-être pas à se dédouaner vraiment à ses propres yeux, il décide de s'infliger lui-même une sorte de punition. Ce Scapin qu'il a imaginé et qu'il interprète sur la scène, il va le faire mourir comme Cyrano de Bergerac est mort dans la réalité, victime d'un guet-apens et frappé à la tête. Molière rejoint ainsi son père spirituel, le salue, et même, d'une certaine manière, lui permet de ressusciter, puisque son « Cyrano-devenu-Scapin » fait simplement *semblant* de mourir (jusqu'au bout, *Les Fourberies* appliquent le principe du théâtre dans le théâtre). Et même s'il est des esprits chagrins et des metteurs en scène pour penser que Scapin est vraiment blessé à la fin de la pièce et qu'il est réellement en train de mourir – sa dernière fourberie, ou, plus exactement, sa dernière « politesse du désespoir », consistant à nous faire croire qu'il est toujours vivant quand il est déjà « au bout de la table », autrement dit dans l'au-delà –, nous savons bien, nous, qu'il renaîtra de toute façon avec toute son énergie lors de la prochaine représentation.

LE THÉÂTRE

Les Fourberies ne sont pas seulement une pièce de théâtre ; c'est aussi **une pièce sur le théâtre**. Molière a écrit cette farce pour s'offrir le plaisir de revenir à la *commedia dell'arte* du début de sa carrière, et pour concurrencer les comédiens italiens qui se produisaient dans la même salle que sa troupe. Toute **la construction des personnages en couples** s'explique par ce choix : les deux pères, Géronte et Argante, doivent beaucoup au Pantalon et au Docteur du théâtre comique italien ; les deux fils, Léandre et Octave, perpétuent les figures traditionnelles de l'homme d'épée et de l'étudiant ; Hyacinte et Zerbinette s'inscrivent dans la tradition, l'une de la jeune première qui pleure, l'autre de la jeune première qui rit. Scapin et Sylvestre, enfin, reproduisent la vieille opposition entre le valet actif et bouillant et le valet passif et timoré. Si schématiques que soient ces contrastes, ils contribuent à donner à chaque personnage une certaine individualité et nous rappellent que les héros d'une farce réussie ne sauraient être, comme on l'imagine trop souvent, de simples pantins : Argante n'est pas Géronte ; il est plus humain ; et c'est cette différence qui permet de justifier qu'ils ne soient pas dupés de la même manière. Géronte, pour le spectateur qui le compare à Argante, mérite ses coups de bâton.

Le motif du théâtre apparaît aussi à l'intérieur même de la pièce. La scène la plus significative à cet égard est évidemment l'arrivée de Sylvestre déguisé en spadassin (II, 6). Mais Scapin lui-même pratique des variations sur ce thème lorsqu'il se déguise en loup-garou pour bastonner son jeune maître Léandre – action non représentée sur la scène, mais évoquée par Scapin (II, 3) –, ou lorsqu'il parvient à faire croire à Géronte qu'il est entouré de nombreux personnages, dans la scène du sac (III, 2).

Scapin est toutefois plus **un metteur en scène qu'un comédien**, puisqu'il entend être le manipulateur suprême, contrôler tous les événements. S'il n'est pas sûr qu'il y parvienne, on ne saurait nier qu'il y a en lui la flamme d'un artiste. Car Scapin (et en cela il se différencie des valets traditionnels de la *commedia dell'arte*) ne cherche pas à tirer un bénéfice personnel de ses duperies. L'argent qu'il vole, il le vole pour d'autres. Il faut donc convenir **qu'il joue pour jouer**. C'est même sur ce principe qu'il fonde sa conception de la vie (voir ses déclarations aux deux jeunes filles, III, 1). Rien n'empêche en fait de voir dans le titre même *Les Fourberies de Scapin* un parfait équivalent de celui de la pièce de Corneille *L'Illusion comique*, et donc une définition du théâtre en général. Le nom « Scapin » dérive d'un verbe italien signifiant « s'échapper ». *Les Fourberies de Scapin*, n'est-ce pas l'évasion que le théâtre offre au spectateur ?

D'AUTRES TEXTES

Sources des *Fourberies de Scapin*

Certains critiques ont jugé nécessaire de définir à propos des *Fourberies de Scapin* un nouveau genre, différent de celui de la farce, celui de la comédie d'intrigue. À travers les textes qui suivent, on verra comment la pièce s'inscrit dans une tradition tout en s'en démarquant.

TÉRENCE, *PHORMION*, 161 AV. J.-C.

Un autre contexte : maîtres et esclaves

Deux fils qui font des folies en l'absence de leurs pères. Des esclaves qui interviennent à plus ou moins bon escient. Le Phormion, *de l'auteur comique latin Térence (190-159 av. J.-C.), a fourni à Molière l'essentiel de l'intrigue des* Fourberies.

Premier extrait

Géta et Dave sont tous deux esclaves de Démiphon, père d'Antiphon.

« GÉTA. Dave, connais-tu Chrémès, le frère aîné de notre vieux maître ?

DAVE. Sans doute.

GÉTA. Et son fils, Phédria ?

DAVE. Aussi bien que je te connais.

GÉTA. Nos vieillards ont eu occasion de voyager tous les deux en même temps, Chrémès était parti pour Lemnos, et mon maître pour la Cilicie, chez un de ses anciens hôtes, qui avait attiré le bonhomme en lui écrivant lettres sur lettres, et en lui promettant des monceaux d'or […] En partant d'ici, les deux vieillards me laissèrent alors auprès de leurs fils, comme qui dirait en qualité de gouverneur.

DAVE. Ô Géta, tu assumais une lourde charge.

GÉTA. L'expérience ne me l'a que trop fait savoir. Ce fut ma mauvaise étoile, je m'en souviendrai longtemps, qui voulut qu'ils me laissassent ce titre. […] Au commencement notre jeune maître ne faisait rien de mal. Quant à Phédria, il tomba tout aussitôt sur une petite musicienne, dont il se mit à devenir éperdument amoureux. Cette fille appartenait au plus abominable marchand d'esclaves, et il n'y avait pas moyen de donner quoi que ce fût : les pères y avaient mis bon ordre. Il ne lui restait d'autre ressource que de repaître ses yeux de l'être aimé, de la suivre sans cesse, de la conduire à ses leçons de musique, de l'en ramener. Nous, qui n'étions pas pris, nous nous consacrions aux amours de Phédria. Il y avait en face de l'école où elle prenait ses leçons une boutique de barbier ; c'était là notre station ordinaire jusqu'au moment où elle rentrait à son logis. Un jour que nous étions à notre poste, survient un jeune homme tout en larmes. Nous nous en étonnons, et lui demandons ce qu'il a : "Jamais autant que tout à l'heure, dit-il, pauvreté ne m'a paru un fardeau désespérant et insupportable. Je viens de voir ici dans le voisinage une malheureuse jeune fille qui se lamentait sur la mort de sa mère. Restée en présence du corps inanimé, elle n'avait, à l'exception d'une vieille femme, ni un ami, ni une connaissance, ni un parent pour l'aider dans son funèbre office. J'ai été saisi de pitié. La jeune fille est elle-même d'une figure charmante." Que dirai-je de plus ? il nous avait attendris. Soudain Antiphon prend la parole : "Voulez-vous que nous allions la voir ?" Un autre : "J'approuve la proposition. Allons-y ; conduis-nous s'il te plaît." Nous voilà partis. Nous arrivons, nous voyons. La jeune fille était admirablement belle ; et, ce qu'il y avait de plus remarquable, c'est que rien chez elle ne l'aidait à rehausser cette beauté. Elle avait les cheveux épars, les pieds nus ; sa personne était tout en désordre, ses yeux étaient noyés de larmes, ses vêtements, pitoyables ; au point que si ses grâces mêmes n'avaient eu en elles une supériorité qui triomphait de tout, c'était assez pour les anéantir. L'amant de la musicienne se contentait de dire : "Oui, elle est assez jolie" ; mais notre jeune maître…

DAVE. Je comprends le reste : il devint amoureux.

GÉTA. Sais-tu à quel point ? Vois où mène la passion. Le lendemain il va tout droit chez la vieille, et la supplie de la lui accorder. Celle-ci refuse, bien entendu : elle lui fait observer que sa démarche est inconvenante ; que la jeune fille est citoyenne d'Athènes ; que c'est une honnête personne, née d'honnêtes parents ; que s'il veut faire d'elle son épouse légitime, il en est le maître ; qu'autrement on ne l'écoutera point. Notre jeune homme ne sait à quoi se résoudre, il désirait épouser, mais il craignait son père absent.

DAVE. Est-ce qu'à son retour le père n'aurait pas consenti ?

GÉTA. Lui, consentir à ce qu'il épousât une jeune fille sans dot et sans naissance ! Jamais.

DAVE. Enfin, qu'arrive-t-il ?

GÉTA. Ce qui arrive ? Il y a de par le monde un certain parasite, nommé Phormion, un effronté qui… Puissent tous les dieux le confondre !

DAVE. Qu'a-t-il fait ?

GÉTA. Il lui a donné le conseil que voici : "Une loi autorise les orphelines à se marier avec leur parent le plus proche, et cette loi force celui-ci d'accepter le mariage. Je déclarerai que vous êtes son parent, et je vous actionnerai en justice, en me donnant pour ami du père de la jeune fille. Nous comparaîtrons devant le tribunal ; je dirai quel était le père, quelle était la mère, comment la fille est votre parente. J'arrangerai tout le conte pour le mieux et à ma guise ; et comme vous ne m'opposerez aucune dénégation, je gagnerai à coup sûr. Votre père, à son retour, se disposera à me faire un procès. Que m'importe ? la fille sera toujours à nous."

DAVE. Voilà une plaisante audace !

GÉTA. Il persuade son homme. La sommation est lancée, on se présente, nous perdons. Il a épousé. »

TÉRENCE, *Phormion*, acte I,
traduction de Victor Bétolaud.

QUESTIONS

1. Dans quelle scène Molière s'est-il inspiré de ce passage ? Térence fait ici passer toutes les informations dans un dialogue entre des esclaves ; Molière les a-t-il mises uniquement dans la bouche de serviteurs ? Quels avantages offre la répartition qu'il a choisie ?

2. Quel est le personnage qui correspond à Scapin ? Est-il présent ou simplement mentionné ? pourquoi ?

3. Qu'est-ce qui, dans les indications que donne à son sujet Géta, apparaît comme la préoccupation principale de Démiphon ? Que signifie l'expression « les pères y avaient mis bon ordre » ?

Second extrait

« DÉMIPHON, *seul.* Est-il donc enfin possible qu'Antiphon se soit marié sans mon consentement ? que mon autorité, laissons mon autorité, que la crainte de mon courroux, ne l'ait pas du moins retenu, qu'il n'ait pas eu de honte ! Quelle indignité ! quelle audace ! Ô le sage gouverneur que ce Géta !

GÉTA, *à part.* Il me nomme enfin : c'est heureux.

DÉMIPHON, *seul.* Que me diront-ils ? Quelle raison auront-ils trouvée ? C'est ce que je me demande.

GÉTA, *à part.* Je suis déjà en mesure de ce côté : pense à autre chose.

DÉMIPHON. Me dira-t-il : "Je l'ai fait malgré moi : la loi m'y forçait" ? J'entends cela, je ne dis pas non.

GÉTA, *à part.* Tu m'amuses.

DÉMIPHON. Mais la loi le forçait-elle aussi de donner, de son propre aveu et par son silence, cause gagnée des adversaires ?

PHÉDRIA, *bas à Géta.* C'est là l'enclouure.

GÉTA, *toujours à part.* Je m'en tirerai, laisse faire.

DÉMIPHON. Je suis incertain sur le parti que je dois prendre, tant cette nouvelle m'étonne et me paraît incroyable. Je suis trop en colère pour pouvoir me mettre à en raisonner. Aussi, c'est principalement lorsque nos affaires vont le mieux à notre souhait, que nous devrions méditer en nous-mêmes sur la manière dont nous supporterons la fortune contraire, les dangers, les pertes d'argent, l'exil. Quand on revient d'un voyage, on devrait toujours supposer qu'on va retrouver son fils engagé dans une mauvaise voie, sa femme morte, sa fille malade, que ce sont des chances communes qui peuvent se réaliser. De cette façon, nul événement ne nous paraîtrait nouveau ; et tout ce qui n'arriverait pas selon ces prévisions, on se l'imputerait à bonne fortune. »

TÉRENCE, *Phormion*, acte I, traduction de Victor Bétolaud.

Dans quelles scènes des *Fourberies* Molière s'est-il souvenu de ce passage ?

CYRANO DE BERGERAC, *LE PÉDANT JOUÉ*, 1654

La scène de la galère : la version originale

Pour la célèbre scène de la galère, Molière s'est inspiré d'une scène de la comédie de Cyrano de Bergerac (1619-1655) Le Pédant joué. *Le valet Corbineli annonce à son maître Granger (le pédant*[1] *joué) que son fils vient d'être enlevé par des Turcs – à Paris, sur la Seine ! – et qu'il faut payer une rançon de cent pistoles. Granger est directeur de collège.*

« CORBINELI. ...Hélas ! tout est perdu, votre fils est mort.

GRANGER. Mon fils est mort ! es-tu hors de sens ?

CORBINELI. Non, je parle sérieusement. Votre fils à la vérité n'est pas mort, mais il est entre les mains des Turcs.

GRANGER. Entre les mains des Turcs ? Soutiens-moi ; je suis mort. [...] Que diable aller faire aussi dans la Galère d'un turc ? D'un Turc ! *Perge*[2].

CORBINELI. Ces écumeurs impitoyables ne me voulaient pas accorder la liberté de vous venir trouver, si je ne me fusse jeté aux genoux du plus apparent d'entre eux. Hé ! Monsieur le Turc, lui ai-je dit, permettez-moi d'aller avertir son père, qui vous enverra tout à l'heure sa rançon.

GRANGER. Tu ne devais pas parler de rançon ; ils se seront moqués de toi.

CORBINELI. Au contraire... À ce mot il a un peu rasséréné sa face. Va, m'a-t-il dit ; mais si tu n'es ici de retour dans un

---

1. **Pédant :** professeur.
2. **Perge :** terme latin signifiant « poursuis ! ».

moment, j'irai prendre ton maître dans son collège, et vous étranglerai tous trois aux antennes[1] de notre navire. [...]

GRANGER. Que diable aller faire dans la galère d'un Turc ?

PAQUIER. Qui n'a peut-être pas été à confesse depuis dix ans.

GRANGER. Mais penses-tu qu'il soit bien résolu d'aller à Venise ?

CORBINELI. Il ne respire autre chose.

GRANGER. Le mal n'est donc pas sans remède. Paquier, donne-moi le réceptacle des instruments de l'Immortalité, *scriptorium scilicet*[2].

CORBINELI. Qu'en désirez-vous faire ?

GRANGER. Écrire une lettre à ces Turcs.

CORBINELI. Touchant quoi ?

GRANGER. Qu'ils me renvoient mon fils, parce que j'en ai affaire ; qu'au reste ils doivent excuser la jeunesse, qui est sujette à beaucoup de fautes ; et que, s'il lui arrive une autre fois de se laisser prendre, je leur promets, foi de Docteur, de ne leur en plus obtendre[3] la faculté auditive.

CORBINELI. Ils se moqueront, par ma foi, de vous.

GRANGER. Va-t'en donc leur dire de ma part que je suis tout prêt de leur répondre par-devant notaire que le premier des leurs qui me tombera entre les mains, je le leur renverrai pour rien (Ha ! que diable, que diable aller faire en cette galère ?). Ou dis-leur qu'autrement je vais m'en plaindre à la justice. Sitôt qu'ils l'auront remis en liberté, ne vous amusez ni l'un ni l'autre, car j'ai affaire de vous.

CORBINELI. Tout cela s'appelle dormir les yeux ouverts.

---

1. Antennes : vergues.
2. *Scriptorium scilicet* : expression latine pour « c'est-à-dire l'écritoire ».
3. Obtendre : latinisme, d'*obtundere*, fatiguer. La phrase signifie donc : « je leur promets de ne plus importuner leurs oreilles ».

GRANGER. Mon Dieu, faut-il être ruiné à l'âge où je suis ? Va-t'en avec Paquier, prends le reste du teston[1] que je lui donnai pour la dépense il n'y a que huit jours. (Aller sans dessein dans une galère !) Prends tout le reliquat de cette pièce. (Ha ! malheureuse géniture, tu me coûtes plus d'or que tu n'es pesant.) Paie la rançon, et ce qui restera emploie-le en œuvres pies[2]. (Dans la galère d'un Turc !) Bien, va-t'en. (Mais misérable, dis-moi, que diable allais-tu faire dans cette galère ?) Va prendre dans mes armoires ce pourpoint découpé[3] que quitta feu mon père l'année du grand hiver.

CORBINELI. À quoi bon ces fariboles[4] ? Vous n'y êtes pas. Il faut tout au moins cent pistoles pour sa rançon.

GRANGER. Cent pistoles ! Ha ! mon fils, ne tient-il qu'à ma vie pour conserver la tienne ? Mais cent pistoles ! Corbineli, va-t'en lui dire qu'il se laisse pendre sans dire mot ; cependant qu'il ne s'afflige point, car je les en ferai bien repentir.

CORBINELI. Mademoiselle Genevotte[5] n'était pas trop sotte, qui refusait tantôt de vous épouser, sur ce que l'on l'assurait que vous étiez d'humeur, quand elle serait esclave en Turquie, de l'y laisser.

GRANGER. Je les ferai mentir. S'en aller dans la galère d'un Turc ! Hé ! quoi faire, de par tous les diables, dans cette galère ? Ô ! galère, galère, tu mets bien ma bourse aux galères. »

Cyrano de BERGERAC, *Le Pédant joué*, acte II, scène 4.

QUESTIONS

1. Molière a-t-il trouvé telle quelle la formule « Que diable allait-il faire dans cette galère ? » dans cette scène ? Qu'a-t-il ajouté ? Qu'a-t-il retranché ?

2. Comparez ce passage à la scène de Molière. À votre avis, quelle version est la plus drôle ? Laquelle est la plus forte ?

---

1. **Teston :** vieille monnaie valant quelques sous.
2. **Pies :** pieuses.
3. **Découpé :** tailladé selon l'ancienne mode.
4. **Fariboles :** bêtises.
5. Mlle Genevotte est en fait amoureuse du fils de Granger, qu'elle épouse à la fin de la pièce.

MOLIÈRE, *L'ÉTOURDI OU LES CONTRETEMPS*, 1655

Molière s'inspire de Molière

L'Étourdi est la première véritable comédie écrite par Molière. Pour certains aspects de Scapin, il s'est souvenu du valet Mascarille qu'il avait imaginé une quinzaine d'années plus tôt et qui s'étonne d'être respecté par ses maîtres uniquement quand les affaires vont mal.

« LÉLIE. Ah ! Mascarille.

MASCARILLE.   Quoi ?

LÉLIE.   Voici bien des affaires ;
J'ai dans ma passion toutes choses contraires :
Léandre aime Célie, et par un trait fatal,
Malgré mon changement, est encor mon rival.

MASCARILLE. Léandre aime Célie !

LÉLIE.   Il l'adore, te dis-je.

MASCARILLE. Tant pis.

LÉLIE.   Hé ! oui, tant pis, c'est là ce qui m'afflige.
Toutefois j'aurais tort de me désespérer ;
Puisque j'ai ton secours, je dois me rassurer :
Je sais que ton esprit, en intrigues fertile,
N'a jamais rien trouvé qui lui fût difficile,
Qu'on te peut appeler le roi des serviteurs,
Et qu'en toute la terre…

MASCARILLE.   Hé ! trêve de douceurs.
Quand nous faisons besoin, nous autres misérables,
Nous sommes les chéris et les incomparables ;
Et dans un autre temps, dès le moindre courroux,
Nous sommes les coquins, qu'il faut rouer de coups.

LÉLIE. Ma foi, tu me fais tort avec cette invective.
Mais enfin discourons de l'aimable captive ;
Dis si les plus cruels et plus durs sentiments
Ont rien d'impénétrable à des traits si charmants :

Pour moi, dans ses discours, comme dans son visage,
Je vois pour sa naissance un noble témoignage,
Et je crois que le Ciel dedans un rang si bas
Cache son origine, et ne l'en tire pas.

MASCARILLE. Vous êtes romanesque avecque vos chimères.
Mais que fera Pandolfe en toutes ces affaires ?
C'est, Monsieur, votre père, au moins à ce qu'il dit.
Vous savez que sa bile assez souvent s'aigrit,
Qu'il peste contre vous d'une belle manière,
Quand vos déportements lui blessent la visière.
Il est avec Anselme en parole pour vous
Que de son Hippolyte[1] on vous fera l'époux,
S'imaginant que c'est dans le seul mariage
Qu'il pourra rencontrer de quoi vous faire sage.
Et s'il vient à savoir que, rebutant son choix,
D'un objet inconnu vous recevez les lois,
Que de ce fol amour la fatale puissance
Vous soustrait au devoir de votre obéissance,
Dieu sait quelle tempête alors éclatera
Et de quels beaux sermons on vous régalera.

LÉLIE. Ah ! Trêve, je vous prie, à votre rhétorique.

MASCARILLE. Mais vous, trêve plutôt à votre politique :
Elle n'est pas fort bonne, et vous devriez[2] tâcher…

LÉLIE. Sais-tu qu'on n'acquiert rien de bon à me fâcher,
Que chez moi les avis ont de tristes salaires,
Qu'un valet conseiller y fait mal ses affaires ?

MASCARILLE. Il se met en courroux ! Tout ce que j'en ai dit
N'était rien que pour rire et vous sonder l'esprit :
D'un censeur de plaisirs ai-je fort l'encolure,
Et Mascarille est-il ennemi de nature ?
Vous savez le contraire, et qu'il est très certain
Qu'on ne peut me taxer que d'être trop humain.
Moquez-vous des sermons d'un vieux barbon de père,

---

1. *Hippolyte* est ici un nom de femme.
2. *devriez* compte pour deux syllabes.

Poussez votre bidet, vous dis-je, et laissez faire,
Ma foi, j'en suis d'avis, que ces penards[1] chagrins
Nous viennent étourdir de leurs contes badins,
Et vertueux par force, espèrent par envie
Ôter aux jeunes gens les plaisirs de la vie !
Vous savez mon talent : je m'offre à vous servir. »

LÉLIE. Ah ! c'est par ces discours que tu peux me ravir... »

MOLIÈRE, *L'Étourdi ou les Contretemps*, acte I, v. 7-66.

QUESTIONS

1. En quoi la situation qui se dessine ici rappelle-t-elle celle sur laquelle Scapin est amené à se pencher ? Dans quelle scène des *Fourberies* trouve-t-on un dialogue du même type que celui-ci entre Scapin et son jeune maître ?

2. À quel moment Lélie change-t-il radicalement de ton en s'adressant à Mascarille ?

3. Quand y a-t-il complicité ? quand y a-t-il opposition entre les deux personnages ?

QUESTIONS D'ENSEMBLE

1. Quel est l'élément qu'on retrouve dans toutes ces scènes et qui fait qu'elles sont comiques ?

2. En quoi Molière, dans *Les Fourberies*, est-il supérieur à ses prédécesseurs (y compris à lui-même dans *L'Étourdi*) ?

Dans le sillage de Scapin

MARIVAUX, *L'ÎLE DES ESCLAVES*, 1725.

« Et tu disais que cela était juste, parce que tu étais le plus fort. »

Seuls survivants d'un naufrage, Iphicrate, seigneur d'Athènes, et son esclave Arlequin se retrouvent sur une île que le premier reconnaît immédiatement comme étant « l'Île des Esclaves ».

1. **Penards :** individus déplaisants.

« IPHICRATE. Eh ! ne perdons point notre temps ; suis-moi. Ne négligeons rien pour nous tirer d'ici. Si je ne me sauve, je suis perdu ; je ne reverrai jamais Athènes, car nous sommes seuls dans l'Île des Esclaves.

ARLEQUIN. Oh ! oh ! qu'est-ce que c'est que cette race-là ?

IPHICRATE. Ce sont des esclaves de la Grèce révoltés contre leurs maîtres, et qui depuis cent ans sont venus s'établir dans une île, et je crois que c'est ici : tiens, voici sans doute quelques-unes de leurs cases ; et leur coutume, mon cher Arlequin, est de tuer tous les maîtres qu'ils rencontrent, ou de les jeter dans l'esclavage.

ARLEQUIN. Eh ! chaque pays a sa coutume ; ils tuent les maîtres, à la bonne heure ; je l'ai entendu dire aussi ; mais on dit qu'ils ne font rien aux esclaves comme moi.

IPHICRATE. Cela est vrai.

ARLEQUIN. Eh ! encore vit-on.

IPHICRATE. Mais je suis en danger de perdre la liberté, et peut-être la vie : Arlequin, cela ne suffit-il pas pour me plaindre ?

ARLEQUIN, *prenant sa bouteille pour boire.* Ah ! je vous plains de tout mon cœur, cela est juste.

IPHICRATE. Suis-moi donc.

ARLEQUIN *siffle.* Hu, hu, hu.

IPHICRATE. Comment donc ! que veux-tu dire ?

ARLEQUIN, *distrait, chante.* Tala ta lara.

IPHICRATE. Parle donc, as-tu perdu l'esprit ? à quoi penses-tu ?

ARLEQUIN, *riant.* Ah, ah, ah, Monsieur Iphicrate, la drôle d'aventure ! je vous plains, par ma foi, mais je ne saurais m'empêcher d'en rire.

IPHICRATE, *à part les premiers mots.* Le coquin abuse de ma situation. J'ai mal fait de lui dire où nous sommes. Arlequin, ta gaieté ne vient pas à propos ; marchons de ce côté.

ARLEQUIN. J'ai les jambes si engourdies.

IPHICRATE. Avançons, je t'en prie.

ARLEQUIN. Je t'en prie, je t'en prie ; comme vous êtes civil et poli ; c'est l'air du pays qui fait cela.

IPHICRATE. Allons, hâtons-nous, faisons seulement une demi-lieue sur la côte pour chercher notre chaloupe, que nous trouverons peut-être avec une partie de nos gens, et, en ce cas-là, nous nous rembarquerons avec eux.

ARLEQUIN, *en badinant*. Badin, comme vous tournez cela ! (*Il chante*.)

> L'embarquement est divin,
> Quand on vogue, vogue, vogue ;
> L'embarquement est divin
> Quand on vogue avec Catin.

IPHICRATE, *retenant sa colère*. Mais je ne te comprends point, mon cher Arlequin.

ARLEQUIN. Mon cher patron, vos compliments me charment ; vous avez coutume de m'en faire à coups de gourdin qui ne valent pas ceux-là ; et le gourdin est dans la chaloupe.

IPHICRATE. Eh ! ne sais-tu pas que je t'aime ?

ARLEQUIN. Oui ; mais les marques de votre amitié tombent toujours sur mes épaules, et cela est mal placé. Ainsi, tenez, pour ce qui est de nos gens, que le Ciel les bénisse ! s'ils sont morts, en voilà pour long-temps ; s'ils sont en vie, cela se passera, et je m'en goberge[1].

IPHICRATE, *un peu ému*. Mais j'ai besoin d'eux, moi.

ARLEQUIN, *indifféremment*. Oh ! cela se peut bien, chacun a ses affaires, que je ne vous dérange pas !

IPHICRATE. Esclave insolent !

ARLEQUIN, *riant*. Ah ! ah ! vous parlez la langue d'Athènes ; mauvais jargon que je n'entends plus.

IPHICRATE. Méconnais-tu ton maître, et n'es-tu plus mon esclave ?

ARLEQUIN, *se reculant d'un air sérieux*. Je l'ai été, je le confesse à ta honte ; mais va, je te le pardonne ; les hommes ne valent rien. Dans le pays d'Athènes, j'étais ton esclave ; tu me traitais comme un pauvre animal, et tu disais que cela était juste parce que tu étais

---

1. **Je m'en goberge :** je m'en moque.

le plus fort. Eh bien ! Iphicrate, tu vas trouver ici plus fort que toi ; on va te faire esclave à ton tour ; on te dira aussi que cela est juste, et nous verrons ce que tu penseras de cette justice-là ; tu m'en diras ton sentiment, je t'attends là. Quand tu auras souffert, tu seras plus raisonnable ; tu sauras mieux ce qu'il est permis de faire souffrir aux autres. Tout en irait mieux dans le monde, si ceux qui te ressemblent recevaient la même leçon que toi. Adieu, mon ami ; je vais trouver mes camarades et tes maîtres. (*Il s'éloigne.*)

IPHICRATE, *au désespoir, courant après lui, l'épée à la main.* Juste ciel ! peut-on être plus malheureux et plus outragé que je le suis ? Misérable ! tu ne mérites pas de vivre.

ARLEQUIN. Doucement ; tes forces sont bien diminuées, car je ne t'obéis plus, prends-y garde. »

MARIVAUX, *L'Île des esclaves*, scène 1.

QUESTIONS

1. La situation à laquelle nous assistons ici et le retournement de la hiérarchie maître-valet ne sont pas sans rappeler plusieurs scènes des *Fourberies*, mais en quoi le principe est-il entièrement différent ?

2. Retrouvez dans les *Pensées* de Pascal sa page célèbre sur la force et le droit. En quoi peut-elle nous aider à analyser les rapports entre maître et valet présentés dans cette scène ?

BEAUMARCHAIS, *LE MARIAGE DE FIGARO*, 1784

« Il fallait un calculateur, ce fut un danseur qui l'obtint. »

Héros du Barbier de Séville *et du* Mariage de Figaro, *le valet Figaro est très probablement l'héritier le plus célèbre de Scapin. À la fin du* Mariage, *persuadé – à tort – que sa future épouse Suzanne s'apprête à le tromper avec leur maître le comte Almaviva, il dresse le bilan de sa vie mouvementée et dénonce du même coup les injustices et les absurdités de son temps. Certains critiques ont voulu faire de lui un véritable révolutionnaire, mais son ironie permanente vis-à-vis des autres et de lui-même appelle sans doute quelques nuances.*

« Parce que vous êtes un grand seigneur, vous vous croyez un grand génie !… Noblesse, fortune, un rang, des places : tout cela rend si fier ! Qu'avez-vous fait pour tant de biens ? Vous vous êtes donné la peine de naître, et rien de plus. Du reste, homme assez ordinaire ! tandis que moi, morbleu ! perdu dans la foule obscure, il m'a fallu déployer plus de science et de calculs, pour subsister seulement, qu'on n'en a mis depuis cent ans à gouverner toutes les Espagnes : et vous voulez jouter… On vient… c'est elle… ce n'est personne. – La nuit est noire en diable, et me voilà faisant le sot métier de mari quoique je ne le sois qu'à moitié ! (*Il s'assied sur un banc.*) Est-il rien de plus bizarre que ma destinée ? Fils de je ne sais pas qui, volé par des bandits, élevé dans leurs mœurs, je m'en dégoûte et veux courir une carrière honnête ; et partout je suis repoussé ! J'apprends la chimie, la pharmacie, la chirurgie, et tout le crédit d'un grand Seigneur peut à peine me mettre à la main une lancette vétérinaire ! – Las d'attrister des bêtes malades, et pour faire un métier contraire, je me jette à corps perdu dans le théâtre : me fussé-je mis une pierre au cou ! Je broche[1] une comédie dans les mœurs du sérail. Auteur espagnol, je crois pouvoir y fronder Mahomet sans scrupule : à l'instant un envoyé… de je ne sais où se plaint que j'offense dans mes vers la Sublime-Porte[2], la Perse, une partie de la presqu'île de l'Inde, toute l'Égypte, les royaumes de Barca[3], de Tripoli, de Tunis, d'Alger et de Maroc : et voilà ma comédie flambée, pour plaire aux princes mahométans, dont pas un, je crois, ne sait lire, et qui nous meurtrissent l'omoplate, en nous disant : *Chiens de chrétiens !* – Ne pouvant avilir l'esprit, on se venge en le maltraitant. – Mes joues creusaient, mon terme était échu : je voyais de loin arriver l'affreux recors[4], la plume fichée dans sa perruque : en frémissant je m'évertue. Il s'élève une question sur la nature des richesses ; et, comme il n'est pas nécessaire de tenir les choses pour en raisonner, n'ayant pas un sol, j'écris sur la valeur de l'argent et sur son produit net : sitôt je vois du fond d'un fiacre

------

1. Je broche : je bâcle.
2. La Sublime-Porte : le gouvernement de l'Empire ottoman.
3. Le royaume de Barca : la Cyrénaïque.
4. Recors : assistant de l'huissier.

baisser pour moi le pont d'un château fort, à l'entrée duquel je laissai l'espérance et la liberté. (*Il se lève.*) Que je voudrais bien tenir un de ces puissants de quatre jours[1], si légers sur le mal qu'ils ordonnent, quand une bonne disgrâce a cuvé son orgueil ! Je lui dirais… que les sottises imprimées n'ont d'importance qu'aux lieux où l'on en gêne le cours ; que sans la liberté de blâmer, il n'est point d'éloge flatteur ; et qu'il n'y a que les petits hommes qui redoutent les petits écrits. (*Il se rassied.*) Las de nourrir un obscur pensionnaire, on me met un jour dans la rue ; et comme il faut dîner, quoiqu'on ne soit plus en prison, je taille encore ma plume et demande à chacun de quoi il est question : on me dit que, pendant ma retraite économique[2], il s'est établi dans Madrid un système de liberté sur la vente des productions, qui s'étend même à celles de la presse ; et que, pourvu que je ne parle en mes écrits ni de l'autorité, ni du culte, ni de la politique, ni de la morale, ni des gens en place, ni des corps en crédit, ni de l'Opéra, ni des autres spectacles, ni de personne qui tienne à quelque chose, je puis tout imprimer librement, sous l'inspection de deux ou trois censeurs. Pour profiter de cette douce liberté, j'annonce un écrit périodique, et, croyant n'aller sur les brisées d'aucun autre, je le nomme *Journal inutile*. Pou-ou ! je vois s'élever contre moi mille pauvres diables à la feuille, on me supprime, et me voilà derechef sans emploi ! – Le désespoir m'allait saisir ; on pense à moi pour une place, mais par malheur j'y étais propre : il fallait un calculateur, ce fut un danseur qui l'obtint. Il ne me restait plus qu'à voler ; je me fais banquier de pharaon[3] : alors, bonnes gens ! je soupe en ville, et les personnes dites *comme il faut* m'ouvrent poliment leur maison, en retenant pour elles les trois quarts du profit. J'aurais bien pu me remonter ; je commençais même à comprendre que, pour gagner du bien, le savoir-faire vaut mieux que le savoir. Mais comme chacun pillait autour de moi, en exigeant que je fusse honnête, il fal-

---

1. Puissants de quatre jours : allusion à des ministères éphémères.
2. Retraite économique : expression plaisante pour désigner un séjour de Figaro en prison.
3. Pharaon : jeu de hasard.

lut bien périr encore. Pour le coup je quittais le monde, et vingt brasses[1] d'eau m'en allaient séparer, lorsqu'un dieu bienfaisant m'appelle à mon premier état[2]. Je reprends ma trousse et mon cuir anglais ; puis, laissant la fumée aux sots qui s'en nourrissent, et la honte au milieu du chemin, comme trop lourde à un piéton, je vais rasant de ville en ville, et je vis enfin sans souci. Un grand seigneur passe à Séville ; il me reconnaît, je le marie, et pour prix d'avoir eu par mes soins son épouse, il veut intercepter la mienne ! »

BEAUMARCHAIS, *Le Mariage de Figaro*, acte V, scène 3.

QUESTIONS

1. Molière aurait-il pu mettre dans la bouche de Scapin un monologue d'une telle longueur ?

2. Quelles aventures de Figaro peuvent rappeler celles de Scapin ?

3. Pourquoi est-il difficile d'imaginer Scapin fondant comme Figaro un « Journal inutile » ? Mais dans quelle scène des *Fourberies* développe-t-il toute une argumentation fondée sur l'inutilité d'une démarche envisagée par un autre personnage ?

VERLAINE, *FÊTES GALANTES*, 1869

Théâtre et poésie

Verlaine s'est souvenu de la commedia dell'arte *dans certains de ses poèmes des* Fêtes galantes. *Son tempérament « saturnien » l'a conduit à laisser apparaître une profonde mélancolie derrière la drôlerie de certains personnages.*

Pantomime[3]

Pierrot, qui n'a rien d'un Clitandre,
Vide un flacon sans plus attendre,
Et, pratique, entame un pâté.

---

1. **Vingt brasses :** environ trente mètres.
2. **Mon premier état :** celui de barbier.
3. **Pantomime :** spectacle théâtral musical, où la parole est remplacée par des gestes.

Cassandre, au fond de l'avenue[1],
Verse une larme méconnue
Sur son neveu déshérité.

Ce faquin[2] d'Arlequin combine
L'enlèvement de Colombine
Et pirouette quatre fois.

Colombine rêve, surprise
De sentir un cœur dans la brise
Et d'entendre en son cœur des voix.

Colombine

Léandre le sot,
Pierrot qui d'un saut
      De puce
Franchit le buisson,
Cassandre sous son
      Capuce[3],

Arlequin aussi,
Cet aigrefin si
      Fantasque
Aux costumes fous,
Ses yeux luisant sous
      Son masque,

– Do, mi, sol, mi, fa, –
Tout ce monde va,
      Rit, chante
Et danse devant
Une belle enfant
      Méchante

Dont les yeux pervers
Comme les yeux verts
      Des chattes

---

1. **Avenue** : allée bordée d'arbres.
2. **Faquin** : terme de mépris, désignant à l'origine un porteur de paquets.
3. **Capuce** : capuchon.

Gardent ses appas
Et disent : « À bas
      Les pattes ! »

– Eux ils vont toujours ! –
Fatidique cours
      Des astres,
Oh ! dis-moi vers quels
Mornes ou cruels
      Désastres

L'implacable enfant
Preste et relevant
      Ses jupes,
La rose au chapeau,
Conduit son troupeau
      De dupes ?

VERLAINE, *Fêtes galantes.*

QUESTIONS

1. Faites une liste de tous les personnages qui apparaissent dans ces deux poèmes et définissez brièvement leur rôle dans la *commedia dell'arte.* Colombine a-t-elle le même caractère dans les deux poèmes ?

2. « Fatidique cours des astres » ; « troupeau de dupes »… Est-il toujours facile de distinguer dans ces deux poèmes les personnages qui maîtrisent la situation et ceux qui sont manipulés ? Quels parallèles peut-on faire avec les personnages des *Fourberies* ? En quoi cette ambiguïté contribue-t-elle à introduire une réelle mélancolie dans ces scènes de comédie ?

3. « Do, mi, sol, mi, fa ». Peut-on établir des correspondances entre ces cinq notes et ces cinq personnages ?

EDMOND ROSTAND, *CYRANO DE BERGERAC*, 1897

Rendons à Cyrano…

Dans la dernière scène de Cyrano de Bergerac, *Edmond Rostand fait fi de la chronologie la plus élémentaire, puisqu'il présente comme contemporains deux auteurs qu'un demi-siècle sépare.*

Mais son « Cyrano imaginaire » lui donne l'occasion de rappeler au public la double dette de Molière à l'égard du vrai Cyrano. Les Fourberies *ne doivent pas seulement à l'auteur du* Pédant joué *cette scène de la galère que nous citons plus haut ; les circonstances de la fausse mort de Scapin s'inspirent aussi d'une véritable agression dont fut victime Cyrano et à laquelle il ne survécut pas.*

Cyrano est venu rejoindre Roxane avec un pansement sur la tête, mais, du fait du crépuscule, celle-ci ne s'est pas rendu compte qu'il était blessé. Le Bret et Ragueneau sont de vieux amis de Cyrano.

Scène VI — ROXANE, CYRANO, LE BRET et RAGUENEAU

LE BRET.   Quelle imprudence !
Ah ! j'en étais bien sûr ! il est là !
CYRANO, *souriant et se redressant.*   Tiens, parbleu !
LE BRET. Il s'est tué, Madame, en se levant !
ROXANE.   Grand Dieu !
Mais tout à l'heure alors... cette faiblesse ?... cette ?...
CYRANO. C'est vrai ! je n'avais pas terminé ma gazette.
... Et samedi, vingt-six, une heure avant dîné,
Monsieur de Bergerac est mort assassiné.
Il se découvre ; on voit sa tête entourée de linges.
ROXANE. Que dit-il ? – Cyrano ! – Sa tête enveloppée !...
Ah ! que vous a-t-on fait ? Pourquoi ?
CYRANO.   « D'un coup d'épée,
Frappé par un héros, tomber la pointe au cœur ! »...
– Oui, je disais cela !... Le destin est railleur !...
Et voilà que je suis tué dans une embûche,
Par-derrière, par un laquais, d'un coup de bûche !
C'est très bien. J'aurai tout manqué, même ma mort.
RAGUENEAU. Ah ! Monsieur !...
CYRANO.   Ragueneau, ne pleure pas si
                                    [fort !...
Il lui tend la main.
Qu'est-ce que tu deviens, maintenant, mon confrère ?
RAGUENEAU, *à travers ses larmes.*
Je suis moucheur de... de... chandelles, chez Molière.
CYRANO. Molière !

RAGUENEAU.   Mais je veux le quitter, dès demain ;
Oui, je suis indigné !... Hier, on jouait *Scapin*,
Et j'ai vu qu'il vous a pris une scène !
LE BRET.   Entière !
RAGUENEAU. Oui, Monsieur, le fameux : « Que diable allait-
                                          [il faire ? »

LE BRET, *furieux*. Molière te l'a pris !
CYRANO.   Chut ! chut ! Il a bien
                                          [fait !...

À Ragueneau
La scène, n'est-ce pas, produit beaucoup d'effet ?
RAGUENEAU, *sanglotant*. Ah ! Monsieur, on riait ! on riait !
CYRANO.   Oui, ma vie
Ce fut d'être celui qui souffle – et qu'on oublie !
À Roxane
Vous souvient-il du soir où Christian[1] vous parla
Sous le balcon ? Eh bien toute ma vie est là.
Pendant que je restais en bas, dans l'ombre noire,
D'autres montaient cueillir le baiser de la gloire !
C'est justice, et j'approuve au seuil de mon tombeau.
Molière a du génie et Christian était beau !

              Edmond ROSTAND, *Cyrano de Bergerac*, acte V, scène 6.

QUESTION

En quoi cette scène est-elle, dans son utilisation du comique, l'inverse de la dernière scène des *Fourberies* ?

BERGSON, *LE RIRE*, 1900

Scapin, le maître de marionnettes

    Le Rire reste à ce jour l'une des meilleures études sur les ressorts du comique. Le philosophe Henri Bergson trouve dans Les Fourberies de Scapin *la première illustration de son chapitre consacré au principe du « pantin à ficelles ».*

---

1. **Christian :** jeune homme dont Roxane était amoureuse sans savoir que les lettres d'amour qu'il lui adressait étaient en fait écrites par Cyrano.

« *Le pantin à ficelles.* – Innombrables sont les scènes de comédie où un personnage croit parler et agir librement, où ce personnage conserve par conséquent l'essentiel de la vie, alors qu'envisagé d'un certain côté il apparaît comme un simple jouet entre les mains d'un autre qui s'en amuse. Du pantin que l'enfant manœuvre avec une ficelle à Géronte et à Argante manipulés par Scapin, l'intervalle est facile à franchir. Écoutez plutôt Scapin lui-même : "La machine est toute trouvée", et encore : "C'est le ciel qui les amène dans mes filets", etc. Par un instinct naturel, et parce qu'on aime mieux, en imagination au moins, être dupeur que dupé, c'est du côté des fourbes que se met le spectateur. Il lie partie avec eux, et désormais, comme l'enfant qui a obtenu d'un camarade qu'il lui prête sa poupée, il fait lui-même aller et venir sur la scène le fantoche dont il a pris en main les ficelles. Toutefois cette dernière condition n'est pas indispensable. Nous pouvons aussi bien rester extérieurs à ce qui se passe, pourvu que nous conservions la sensation bien nette d'un agencement mécanique. C'est ce qui arrive dans les cas où un personnage oscille entre deux partis opposés à prendre, chacun de ces deux partis le tirant à lui tour à tour : tel, Panurge demandant à Pierre et à Paul s'il doit se marier. Remarquons que l'auteur comique a soin alors de personnifier les deux partis contraires. À défaut du spectateur, il faut au moins des acteurs pour tenir les ficelles. »

BERGSON, *Le Rire. Essai sur la signification du comique.*

QUESTIONS

1. Recherchez dans le dictionnaire l'origine et le sens exact du mot *fantoche*. À quelles scènes des *Fourberies* Bergson fait-il allusion ici ?

2. Dans quelle œuvre de la littérature française rencontre-t-on le personnage de Panurge ?

QUESTIONS D'ENSEMBLE

1. En vous aidant du texte de Bergson, étudiez le rôle de la fatalité dans tous les textes réunis dans ce corpus.

2. En quoi les notions de justice et d'injustice sont-elles centrales dans ces textes ?

LECTURES
DES *FOURBERIES DE SCAPIN*

Un choix de jugements sur Molière et *Les Fourberies de Scapin* ne sauraient débuter que par les vers fameux de l'*Art poétique* de Boileau, mais l'amitié que celui-ci éprouvait pour Molière ne fait pas de lui pour autant un critique avisé. Il faut cependant lui rendre cette justice qu'il lance à travers sa condamnation un débat qui va agiter la critique française au fil des siècles : il y a *deux* Molière, mais sont-ils bien compatibles ? lequel est le vrai ? Interrogation esthétique au départ, mais très vite relayée par une interrogation morale.

« Étudiez la cour et connaissez la ville ;
L'une et l'autre est toujours en modèles fertile.
C'est par là que Molière, illustrant ses écrits,
Peut-être de son art eût remporté le prix,
Si, moins ami du peuple, en ses doctes peintures
Il n'eût point fait souvent grimacer ses figures,
Quitté, pour le bouffon, l'agréable et le fin,
Et sans honte à Térence allié Tabarin[1].
Dans ce sac ridicule où Scapin s'enveloppe,
Je ne reconnais plus l'auteur du *Misanthrope*. »

BOILEAU, *Art poétique*, chant III, v. 391-400, 1674.

Bossuet, le célèbre prédicateur du XVIIᵉ siècle, condamne régulièrement dans ses sermons les divertissements qui s'opposent à la dévotion, et a même composé tout un traité sur la comédie dans lequel il n'épargne guère celle-ci en général et Molière en particulier.

« [Molière] a fait voir à notre siècle le fruit qu'on peut espérer de la morale du théâtre qui n'attaque que le ridicule du monde, en lui laissant cependant toute sa corruption. La postérité saura peut-

---

1. **Tabarin :** valet d'un charlatan, il attirait le public par ses farces grossières.

être la fin de ce poète comédien, qui en jouant son *Malade ima-giaire* ou son *Médecin par force*[1], reçut la dernière atteinte de la maladie dont il mourut peu d'heures après, et passa des plaisante-ries du théâtre, parmi lesquelles il rendit presque le dernier soupir, au tribunal de celui qui dit : "Malheur à vous qui riez, car vous pleurerez." »

BOSSUET, *Réflexions sur la comédie*, 1694. *Oraisons funèbres, Sermons...*

La *Lettre à l'Académie* composée par Fénelon, en qui certains voient le dernier représentant de la littérature du XVII⁰ siècle, se présente comme une suite de petits traités sur différents genres littéraires. Dans celui qui touche au théâtre, il rejoint, comme il le dit lui-même, le jugement de Boileau sur Molière.

« Un autre défaut de Molière, que beaucoup de gens d'esprit lui par-donnent, et que je n'ai garde de lui pardonner, est qu'il a donné un tour gracieux au vice, avec une austérité ridicule et odieuse à la vertu. Je comprends que ses défenseurs ne manqueront pas de dire qu'il a traité avec honneur la vraie probité, qu'il n'a attaqué qu'une vertu chagrine et qu'une hypocrisie détestable, mais, sans entrer dans cette longue discussion, je soutiens que Platon et les autres législateurs de l'antiquité païenne n'auraient jamais admis dans leur république un tel jeu sur les mœurs.
Enfin, je ne puis m'empêcher de croire, avec M. Despréaux[2], que Molière, qui peint avec tant de force et de beauté les mœurs de son pays, tombe trop bas quand il imite le badinage de la comédie ita-lienne. »

FÉNELON, *Lettre à l'Académie*, VII,
« Projet d'un traité sur la comédie », 1714.

La *Lettre à d'Alembert sur les spectacles* est au cœur d'une des grandes polémiques philosophiques du XVIII⁰ siècle. Contre les Encyclopédistes, Rousseau – qui a visiblement lu de près le *Traité de la comédie* de Nicole (1667) – voit dans le théâtre un

---

1. C'est-à-dire *Le Médecin malgré lui*.
2. Despréaux : autre nom de Boileau.

instrument de sape des fondements de la société. Les critiques qu'il adresse ici à Molière ne sont pas sans rappeler celles qu'il adresse ailleurs à La Fontaine.

> « Voyez comment, pour multiplier ses plaisanteries, cet homme trouble tout l'ordre de la société ; avec quel scandale il renverse tous les rapports les plus sacrés sur lesquels elle est fondée, comment il tourne en dérision les respectables droits des pères sur leurs enfants, des maris sur leurs femmes, des maîtres sur leurs serviteurs ! Il fait rire, il est vrai, et n'en devient que plus coupable, en forçant par un charme invincible les sages mêmes de se prêter à des railleries qui devraient attirer leur indignation. J'entends dire qu'il attaque les vices ; mais j'aimerais bien que l'on comparât ceux qu'il attaque avec ceux qu'il favorise […].
>
> Je ne m'arrêterai point à parler des valets. Ils sont condamnés par tout le monde… [Et Rousseau ajoute] Je ne décide pas s'il faut en effet les condamner […]. Supposé qu'il faille quelques fourberies dans les pièces, je ne sais s'il ne vaudrait pas mieux que les valets seuls en fussent chargés, et que les honnêtes gens fussent aussi des gens honnêtes au moins sur la scène. »
>
> ROUSSEAU, *Lettre à d'Alembert sur les spectacles*, 1758.

Voltaire, ailleurs si piquant, est d'une effrayante platitude dans les résumés – sans doute alimentaires – qu'il a composés de toutes les pièces de Molière. Molière est coupable d'avoir écrit ses *Fourberies* puisque lui-même a reconnu sa faute !

> « Molière ne pensait pas que *Les Fourberies de Scapin* ou *Le Mariage forcé* valussent *L'Avare*, *Le Tartuffe*, *Le Misanthrope*, *Les Femmes savantes*. »
>
> VOLTAIRE, résumé des *Fourberies*.

Moraliste du XVIIIe siècle, auteur de maximes, Chamfort est sans doute le premier à avoir vu et dit que les deux Molière n'en faisaient qu'un, ou en tout cas se renforçaient l'un l'autre.

« Molière se délassait de tous [ses] chefs-d'œuvre par des ouvrages d'un ordre inférieur, mais qui, toujours marqués au coin du génie, suffiraient pour la gloire d'un autre. Ce genre de comique où l'on admet des intrigues de valets, de personnages d'un ridicule outré, lui donnait des ressources dont l'auteur du *Misanthrope* avait dû se priver. Ramené dans la sphère où les Anciens avaient été resserrés, il les vainquit sur leur propre terrain. Quel feu ! quel esprit ! quel verve ! [...] Quel parti ne tire-t-il pas de ce genre pour peindre la nature avec plus d'énergie ! Cette mesure précise qui réunit la vérité de la peinture et l'exagération théâtrale, Molière la passe alors volontairement, et la sacrifie à la force de ses tableaux. Mais quelle heureuse licence ! Avec quelle candeur comique un personnage grossier, dévoilant des idées ou des sentiments que les autres hommes dissimulent, ne trahit-il pas d'un seul mot la foule de ses complices ! Naïveté d'un effet toujours sûr au théâtre, mais que le poète ne rencontre que dans les états subalternes, et jamais dans la bonne compagnie... »

CHAMFORT, *Éloge de Molière*, 1769.

Ô surprise ! le très peu conformiste Stendhal, dans son pamphlet romantique *Racine et Shakespeare*, rejoint le chœur de ceux qui dénoncent l'immoralité de Molière. Mais la note qu'il introduit à l'intérieur de ce chœur est violemment discordante.

« *Molière est immoral*. À ce mot, je vois les pédants me sourire. Non, messieurs, Molière n'est pas immoral parce qu'il prononce le mot de *mari trompé* ou de *lavement* ; on disait ces mots-là de son temps, comme du temps de Shakespeare l'on croyait aux sorcières. Les effets que ces détails peuvent produire aujourd'hui sont indépendants de la volonté de ces grands artistes.

Encore moins Molière est-il immoral parce que le fils d'Harpagon manque de respect à son père, et lui dit :

– Je n'ai que faire de vos dons.

Un tel père méritait un tel mot, et la crainte de ce mot est la seule chose qui puisse arrêter un vieillard dans son amour immodéré pour l'or.

L'immoralité de Molière vient de plus haut. Du temps de Mme d'Épinay et de Mme Campan, il y avait la manière approuvée et de bon goût de mourir, de se marier, de faire banqueroute, de tuer un rival, etc. Les lettres de Mme du Deffand en font foi. Il n'y avait pas d'action de la vie, sérieuse ou futile, qui ne fût comme emprisonnée d'avance dans l'imitation d'un modèle, et quiconque s'écartait du modèle excitait le *rire*, comme se dégradant, comme donnant une marque de sottise. [...]

C'est justement cette horreur de n'être pas comme tout le monde qu'inspire Molière, et voilà pourquoi il est *immoral...* »

STENDHAL, *Racine et Shakespeare*,
Appendice II, « De la Moralité de Molière », 1823-1825.

Autre romantique, Victor Hugo, ayant pour spécialité de traquer le sublime sous le grotesque, semble préférer, des deux Molière, celui que le plus souvent l'on condamne.

« Il semble que la farce délie Molière. Ses cris les plus hardis, c'est là qu'il les jette. »

Victor HUGO, *Promontorium somnii*, 1863.

Albert Cahen, critique du début du XXe siècle, rejoint Chamfort et voit dans *Les Fourberies de Scapin* une pièce à part entière dans l'œuvre de Molière.

« Si Molière n'eût écrit que *Scapin* et *Pourceaugnac*, on pourrait regretter qu'il en fût resté là. Mais, puisqu'il n'en est pas ainsi, il faut nous féliciter que ce grand homme soit resté capable de composer ces bouffonneries, ayant écrit d'ailleurs *Le Tartuffe* et *Le Misanthrope*, et à la veille d'écrire *Les Femmes savantes*, et reconnaître qu'avec la profondeur, son génie avait encore l'abondance et la diversité. »

Albert CAHEN, in *Fénelon, Lettre à l'Académie*, 1918.

Loin d'opposer la grossièreté des *Fourberies* à la subtilité d'autres pièces, Gustave Lanson, ancêtre spirituel de Lagarde & Michard, nous invite à découvrir des subtilités dans les *Fourberies* mêmes. Ses confrères Antoine Adam et, un peu plus

tard, Georges Mongrédien, s'attachent plus aux qualités spécifi-
quement théâtrales de la pièce.

> « Parcourons toute la comédie de Molière : du haut en bas, nous
> trouverons toujours la même dose d'observation vraie. Regardons
> les farces les plus bouffonnes : n'y a-t-il pas une peinture des
> mœurs dans *Pourceaugnac* ? la lourdeur du provincial, l'ignorance
> pédante des médecins, que d'autres détails encore sont pris dans le
> vif de la société contemporaine ! [...] Et dans la fantaisie des
> *Fourberies de Scapin*, que de morceaux d'humanité vivante ! quel
> charmant naturel dans le *tracas* de ces pères, de ces fils, de ces
> femmes ! [...]
> Même les types de convention que la tradition comique offrait à
> Molière, il les a rendus vivants. »

Gustave LANSON, Histoire de la littérature française, 1920.

> « Virtuosité de l'écrivain... Il n'eut jamais tant de talent, tant de
> verve, une telle richesse d'invention comique. »

Antoine ADAM, *Histoire de la littérature française au* XVIIe *siècle*, 1952.

> « Cette farce, réglée comme un mouvement d'horlogerie de haute
> précision, produit devant n'importe quel auditoire un effet irrésis-
> tible. »

Georges MONGRÉDIEN, in Molière, Œuvres complètes, GF, 1965.

Créateur du théâtre du Vieux-Colombier – celui-là même où
l'on donne depuis plusieurs décennies *La Cantatrice chauve* de
Ionesco –, Jacques Copeau, l'un des plus grands metteurs en
scène du XXe siècle, a laissé de nombreux textes dans lesquels il
s'attache à montrer combien l'œuvre de Molière auteur doit au
travail de Molière comédien, le génie formé par l'association des
deux ayant su tourner à son avantage les obstacles qui ont marqué sa carrière.

> « Ici [dans *Les Fourberies*] tout est mouvement. On dirait que
> Molière s'assure, deux ans avant sa fin, de l'élasticité de son cœur et
> du souffle de sa poitrine : "Le voisinage des acteurs italiens, dit Louis

Moland[1], le tenait en haleine, l'obligeait à revenir toujours à l'action rapide. Il fallait peu de chose pour que la foule lui préférât les mimes et les sauteurs avec qui il partageait la salle du Palais-Royal...".

Il y a là quelque chose qui étonne et dont certains se scandalisent : que Molière, jusqu'à la fin de sa carrière, soit resté en concurrence avec des mimes et des sauteurs. On irait jusqu'à dire qu'une première diminution lui vint de cette circonstance, la seconde étant imputable au service du Roi.

Je crois tout au contraire [...] que, dans cette double dépendance, dont il a souffert par moments, se sont développés certains traits essentiels de la physionomie et de l'art de Molière. D'une part la verve, l'alacrité, la fraîcheur, la curiosité puis le goût de cette alliance de la comédie avec la musique et le ballet dont les Grecs lui offraient le modèle, de ces « divertissements » dont le Roi, grand amateur de danse, était si friand et auxquels il ne dédaignait pas de participer. D'autre part, la communication directe des plus grands sujets avec un substratum de farce populaire qui les nourrit de sève, qui leur insuffle la santé, les empêche de se guinder, de se ralentir et de se compliquer, qui est pour Molière un antidote de l'académisme, comme déjà sa profession de comédien lui serait un remède, s'il y avait été enclin, à la prétention littéraire.

Scapin est puisé tout chaud dans le personnel interlope de la *commedia dell'arte*. Cautèle et couardise lui sont en partage autant qu'aux *zanni*[2] traditionnels. Ce qui ne l'empêche pas de trancher du grand seigneur[3] et de l'esprit fort et de se contempler soi-même avec orgueil. »

Jacques COPEAU, Registres II – Molière, Gallimard, 1976.

---

1. **Louis Moland :** *Molière et la Comédie-Italienne*, Éd. Didier, Paris, 1867, p. 347-348.
2. Les *zanni* – ou *zani* – étaient les bouffons d'une troupe de la *commedia dell'arte* ; ils tenaient en général des rôles de valets.
3. **Trancher du grand seigneur :** prendre les manières importantes d'un grand seigneur.

LIRE, VOIR

Bibliographie

– Paul BÉNICHOU, *Morales du Grand Siècle*, Folio, 1988.

– René BRAY, *Molière homme de théâtre*, Mercure de France, 1992.

– Michel CORVIN, *Dictionnaire encyclopédique du théâtre*, Bordas, 1991.

– Roger GUICHEMERRE, *La Comédie classique en France*, P.U.F. Que sais-je ? n° 1730, 1989.

– Charles MAZOUER (Introduction, notices et notées par), *Farces du grand siècle*, le Livre de Poche n° 4492.

– Alfred SIMON, *Molière*, Le Seuil, 1957.

Filmographie – Vidéo

– *Les Fourberies de Scapin*, adaptation cinématographique de Roger COGGIO, 1981.

– *Les Fourberies de Scapin*, mise en scène de Jacques ÉCHANTILLON, Film Office Distribution – INA, 1990 (en vidéocassette).

– *Moliérissimo*, série de dessins animés sur la vie de Molière, éditée à raison de deux épisodes d'une vingtaine de minutes par vidéocassette, Fil à Film, 1988.

LES MOTS
DES *FOURBERIES DE SCAPIN*

Ardeur : élan de l'âme, sentiment amoureux.

Disgrâce : aujourd'hui, perte de la faveur d'une personne dont on dépend ; à l'époque de Molière, malheur, événement malheureux.

Galant : homme entreprenant auprès des femmes. **Galanterie** : intrigue amoureuse.

Industrie : habileté à exécuter quelque chose ; invention, ingéniosité, ruse.

Machine : ruse, machination, manœuvres plus ou moins déloyales.

Transport : vive émotion, manifestation de passion.

LES TERMES DE CRITIQUE

Aparté : réplique ou tirade que le personnage dit de façon à être entendu des spectateurs sans l'être des autres personnages en scène.

Baroque (esthétique) : goût du XVIIᵉ siècle pour le faste, les effets d'illusion, les jeux de scène spectaculaires et, en général, les effets animés qui paraîtront désordonnés aux classiques.

Champ lexical : ensemble de mots désignant une même idée ou un même domaine qui souligne un thème important du texte.

Comédie : au XVIIᵉ siècle, pièce où l'on rit, mais aussi toute pièce où il se passe une action (toute pièce dramatique). La *grande comédie* fait rire à partir de l'analyse des caractères.

Comique : ensemble de procédés qui font rire. On distingue le comique *visuel* (gestes, signes que les personnages se font en cachette les uns des autres, coups de bâton, gambades…), *verbal* (apartés, quiproquos, imitations d'autres langages…), *de caractère* (soulignant les contradictions d'un personnage), *structurel* (essentiellement le comique de situation).

Commedia dell'arte : comédie jouée à partir du XVIᵉ siècle par des comédiens professionnels en Italie puis en France, et qui renvoie au comique de farce.

Coup de théâtre : événement inattendu qui modifie profondément le cours de l'intrigue et de l'action.

Dénouement : partie finale de la pièce, où les divers fils de l'intrigue se « dénouent ».

Dialogue : échange de propos entre deux ou plusieurs personnages.

Didascalies : ensemble des précisions sur les personnages et les actions qui n'appartient pas au texte récité : le titre de la pièce, la liste des personnages, et surtout les indications scéniques qui précisent des éléments de mise en scène (entrée et sortie des personnages, apartés, accessoires utiles).

Double (thème du) : thème qui fait apparaître deux personnages, deux situations, deux intrigues, proches les uns des autres jusqu'à apparaître comme dédoublés. Le thème du double permet en général de souligner les différences derrière l'identité apparente.

Exposition (scène d') : scène qui met le spectateur au courant de ce qu'il doit savoir (sur la situation, les personnages et leurs relations...) pour comprendre la suite de la pièce.

Farce : comédie populaire fondée sur un comique volontiers grossier ; comique de gestes (coups de bâton, chutes...), renversements de situation.

Illusion comique : illusion de vérité que donne la pièce de théâtre, comique ou tragique.

Masque : faux visage dont on se couvre la figure. Dans l'Antiquité et dans la *commedia dell'arte*, le même masque correspond toujours au même personnage, qu'il permet de reconnaître immédiatement (Pantalon ou Arlequin par exemple). Il semble que dans *Les Fourberies*, au temps de Molière, Argante et Géronte jouaient sous un masque de vieillard.

Métaphore : figure de style qui exprime une idée par une autre, plus concrète, grâce à une comparaison, sans utiliser de terme de comparaison : « C'est un lion » pour « il est fort comme un lion » (voir dans *Les Fourberies* : « Je vois se former de loin un nuage de coups de bâton », I, 1).

Pantomime : pièce de farce dans laquelle l'acteur représente des actions et des sentiments non par des paroles mais par sa gestuelle (gestes et attitudes).

Parodie : imitation satirique, à visée comique, d'un texte sérieux.

Préciosité : au XVIIᵉ siècle, recherche de délicatesse dans les manières et le langage, représentée le plus souvent chez Molière comme une affectation ridicule.

Quiproquo : erreur qui consiste à prendre une personne ou une situation pour une autre, et qui souligne la difficulté de communication entre les hommes.

Récit : histoire qui raconte des actions inattendues et extraordinaires modifiant le cours des événements.

Reconnaissance (scène de) : scène (à la fin de la pièce comique) où les obscurités sont levées et où les personnages retrouvent leur statut familial normal.

Règle des trois unités : règle qu'entend respecter le théâtre classique, et qui comprend *l'unité d'action* (la pièce ne raconte qu'une seule histoire), *l'unité de temps* (l'action se passe en une seule journée) et *l'unité de lieu* (l'action se déroule en un lieu unique).

Réplique : au cours d'un dialogue, réponse brève d'un personnage.

Rhétorique : art de la parole qui permet à l'orateur, et par extension à l'écrivain et à l'auteur de théâtre, d'obtenir l'adhésion de son auditoire, de ses lecteurs ou de ses spectateurs.

Romanesque (roman) : état d'esprit et ton qui consistent à se représenter et à représenter la vie comme un roman, avec des aventures extraordinaires et de grands sentiments.

Stichomythie : dialogue dans lequel les personnages se répondent brièvement, vers à vers. Parfois employé par extension pour des répliques courtes.

Tirade : longue prise de parole d'un personnage dans un dialogue.

Tragique : au XVIIᵉ siècle et en France, chez Racine notamment, la tragédie rapporte des événements dans lesquels les personnages tentent de se soustraire à leur destin (connu du spectateur par l'histoire ou la mythologie). Est dit « tragique » le sort de ces personnages.

POUR MIEUX EXPLOITER
LES QUESTIONNAIRES

Ce tableau fournit la liste des rubriques utilisées dans les questionnaires, avec les renvois aux pages correspondantes, de façon à permettre des **études d'ensemble** sur tel ou tel de ces aspects (par exemple dans le cadre de la lecture suivie).

RUBRIQUES	PAGES		
	Acte I	Acte II	Acte III
DRAMATURGIE	50, 52	56, 63, 67, 79	99, 103, 111, 114
GENRES		79	
MISE EN SCÈNE	31, 41 , 52	59, 67, 75, 85	103, 114
PERSONNAGES	31, 37, 50, 52	56, 63, 67, 79, 85	93, 99, 103, 111, 114
QUI PARLE ? QUI VOIT ?	37	75	114
REGISTRES ET TONALITÉS	31, 37	56, 59, 79, 85	103
SOCIÉTÉ	31	59, 75	93
STRATÉGIES	41, 50, 52	59, 67, 75, 85	93, 99, 111
STRUCTURE	37, 41, 50	56, 79, 85	93, 99, 111
THÈMES	41	63	

TABLE DES MATIÈRES

Les photographies de cette édition sont tirées des mises en scène suivantes :
Mise en scène de Jacques Charon, décor et costumes de Robert Hirsch, Comédie-Française, 1956. – Mise en scène de Jacques Échantillon, décor et costumes d'Auguste Pace, Comédie-Française, 1973. – Mise en scène de Marcel Maréchal, décor et costumes d'Alain Batifoulier, théâtre national de Marseille, la Criée, 1981. – Mise en scène de Jean-Pierre Vincent, décor de Jean-Paul Chambas, costumes de Patrice Cauchetier, masques d'Erhard Stiefel, festival d'Avignon, 1990. – Mise en scène de Colette Roumanoff, costumes de Katherine Roumanoff, lumières de Stéphane Cottin, théâtre Fontaine, 2002.

COUVERTURE : Grégory Gerreboo (Scapin) et Philippe Gouinguenet (Géronte) dans la mise en scène de Colette Roumanoff, Théâtre Fontaine, 2002.

CRÉDITS PHOTO :
Couverture : Ph © Jean-François Delon / Compagnie Colette Roumanoff (reprise p. 13). – p. 2 : Musée du Louvre, Paris, Ph © H.Lewandowski / RMN – p. 3 ht : Bibliothèque nationale de France, Paris, Ph coll. Archives Larbor / T. – p. 3 bas : Ph © Martine Franck / Magnum / T. – p. 4 : Musée du Louvre, Paris, Ph © K. Ignatiadis / RMN / T. – p. 5 ht : Ph © Ph. Coqueux / Specto / T. – p. 5 bas : Ph © Ph. Coqueux / Specto / T. – p. 6 : Bibliothèque nationale de France, Paris, Ph coll. Archives Larbor. – p. 7 ht : Bibliothèque de la Comédie française, Paris, Ph. Jeanbor © Archives Larbor. – p. 7 bas : Bibliothèque de la Comédie Française, Paris, Ph Jeanbor © Archives Larbor / D.R. – p. 8 : Ph © Jean-François Delon / Compagnie Colette Roumanoff. – p. 9 : Ph © Jean-François Delon / Compagnie Colette Roumanoff. – p. 10 : Bibliothèque musée de la Comédie Française, Paris, Ph Jeanbor © Archives Larbor / T. – p. 11 ht : Ph © Ph. Coqueux / Specto / T. – p. 11 bas : Ph © Enguerand / T. – p. 12 : 3 Ph © Bernand / T. – p. 13 : Ph © Jean-François Delon / Compagnie Colette Roumanoff. – p. 14 et p. 15, Ph © Brigitte Enguerand / T. – p. 16 Ph © Marc Enguerand / T. – p. 21 : Bibliothèque nationale de France, Paris, Ph coll. Archives Larbor /T. – p. 26 : Musée Cantini, Marseille, Ph © Bulloz / RMN / T. – p. 45 : Ph © Lê-Anh / Compagnie Colette Roumanoff. – p. 65 : Ph © Bernand / T. – p. 98 : Ph © Lê-Anh / Compagnie Colette Roumanoff.

Direction éditoriale : Pascale Magni – Coordination : Franck Henry – Édition : Stéphanie Simonnet – Révision des textes : Olivier Chauche – Iconographie : Christine Varin – Maquette intérieure : Josiane Sayaphoum – Fabrication : Jean-Philippe Dore – Compogravure : PPC.

© Bordas, Paris, 2003 – ISBN : 2-03-730368-0

Impression : FRANCE QUERCY – N° de projet : 10106147
Dépôt légal 1re éd.: avril 2003 - Dépôt légal : juillet 2003

Le Fourberies de Scapin

« *Molière, qui peint avec tant de force et de beauté les mœurs de son pays, tombe trop bas quand il imite le badinage de la comédie italienne.* »

Fénelon (1714)

« *Il semble que la farce délie Molière. Ses cris les plus hardis, c'est là qu'il les jette.* »

Victor Hugo (1863)

Lire et voir les classiques

- Lecture d'images par une iconographie variée.
- Texte intégral annoté.
- Biographie de l'auteur et genèse de l'œuvre.
- Contextes, formes et thèmes majeurs.
- Questionnaires d'analyse et groupements de textes.

www.universdeslettres.com

2-04-730368-0

9 782047 303689

CONCEPTION COUVERTURE : YVES LE RAY